HEXAGONE
illustré

Noël 2014
Mamie - Papy.

Du même auteur

Métronome,
L'histoire de France au rythme du métro parisien,
Éditions Michel Lafon, 2009 ; Pocket, 2014

Métronome illustré,
Éditions Michel Lafon, 2010

Histoires de France,
François Ier et le connétable de Bourbon,
Michel Lafon, Casterman, 2012

Hexagone,
Éditions Michel Lafon, 2013

© Éditions Michel Lafon, 2014
118, avenue Achille-Peretti – CS 70024
92521 Neuilly-sur-Seine Cedex

www.michel-lafon.com

Lorànt Deutsch

HEXAGONE
illustré

Avec la complicité de
Emmanuel Haymann

Illustrations **Cyrille Renouvin**

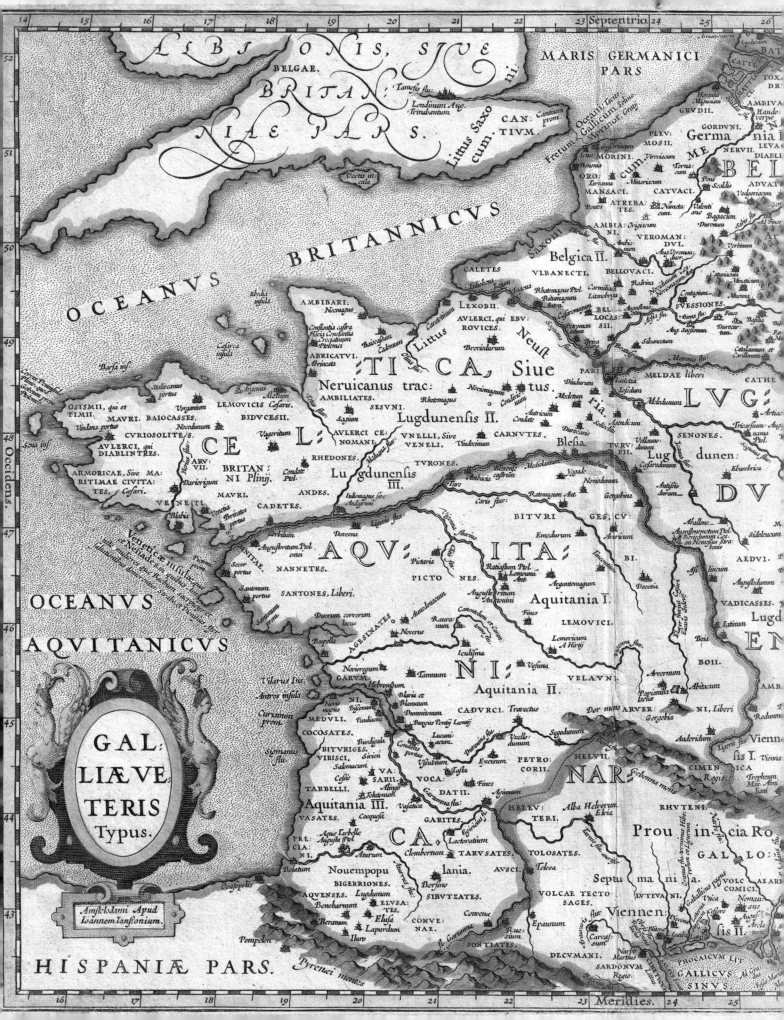

SOMMAIRE

*Carte de la Gaule romaine
par Joannes Janssonius (1657).*

LES ROUTES EXACTES DES POSTES DU ROYAUME DE FRANCE

« Les Routes exactes des postes du royaume de France », par Matthaüs Seutter (1740).

Aux sources de la route...
par la voie hérakléenne

« *Quand tu aimes il faut partir…* » *Ce vers de Blaise Cendrars trotte dans ma tête pendant que je remonte la rue Saint-Jacques. J'aime Paris, et je m'en vais. Les rues que j'ai tant arpentées m'entraînent ailleurs, elles filent vers d'autres destinations, le ruban gris du bitume m'incite à la découverte…*

Partez avec moi, là-bas, tout droit vers la Bretagne, le bout du continent, la fin de la terre… le Finistère. Nous arrivons à Lagatjar. Au-delà, c'est la mer, le ciel. Au-delà, c'était jadis l'inconnu, l'angoissant, le mystérieux. Les hommes ont dressé ici des alignements de pierres blanches, comme une route qui les conduirait vers l'impénétrable, vers les forces inconnues qui semblaient les guider. Et si nous étions ici aux sources de la route ? Celle qui nous conduit en nous-mêmes pour nous faire approcher le sacré.

Si les humains n'ont jamais abandonné la route intérieure qui les mènerait vers l'éternité, ils ont aussi tracé d'autres routes, les vraies, celles qui relient les peuples entre eux…

Là encore, le surnaturel n'est pas loin. Un demi-dieu nous indique la voie… Hercule, fils de Zeus, a quitté la Grèce des dieux vivants pour se rendre au pays des Ibères, c'est-à-dire en Espagne. Dans son périple, il a créé la route qui relie les Alpes aux Pyrénées en suivant la côte méditerranéenne, première route de ce qui sera l'Hexagone. Un mythe ? Peut-être. Mais un mythe fondateur. Désormais, rien n'arrêtera le mouvement des peuples. Venus de l'est, venus du sud, bientôt métissés et amalgamés, ils se découvriront une destinée commune. La France.

1 À Lagatjar, la route vers l'éternité

Que signifient ces menhirs alignés ? Veulent-ils implorer les dieux ? Cherchent-ils à honorer les morts ? Ce message muet se dresse vers le ciel depuis quatre mille ans et nous interroge encore. Ici, c'était le bout du monde, et j'entends dans le cri de ces pierres blanches l'incitation à suivre le chemin inconnu qui conduit vers l'au-delà ignoré. Ces pierres témoignent aussi de l'acharnement de l'homme à comprendre son environnement : elles auraient servi à scruter les étoiles et à mesurer le temps. Et cette connaissance péniblement accumulée a peut-être été associée à un rite dont on a perdu jusqu'au sens, mais qui pouvait englober dans l'adoration et la crainte la Lune et le Soleil. **(Sur les hauteurs de Camaret-sur-Mer, Finistère)**

2 Les bœufs roux d'Hercule

Que venait faire le demi-dieu dans le sud de l'Hexagone ? Il s'en allait vers Érythie, une île située près de Gibraltar. Pour son dixième travail, Hercule devait ramener à Mycènes un troupeau de bœufs merveilleux au pelage écarlate. Pour s'emparer du bétail, le héros mythologique dut affronter le propriétaire du troupeau, le colossal Géryon, réputé être l'homme le plus fort de la Terre, avec ses 3 têtes, ses 3 torses, ses 6 bras… Une seule flèche d'Hercule transperça les 3 corps du monstrueux personnage.

3 Les cailloux de Zeus

Revenant du pays des Ibères, Hercule fut attaqué par des combattants du peuple ligure. Le demi-dieu se défendit vaillamment, mais bientôt il fut à court de flèches. Il lança ses pleurs vers le ciel et implora son père... Le dieu des dieux entendit cette plainte : il déclencha une pluie de cailloux qui dispersa les assaillants. Les voici, ces cailloux de Zeus qui ont rendu inculte une terre jadis fertile.

Mais aujourd'hui les dieux de l'Antiquité ont disparu, et l'on sait que ces cailloux ont été charriés par la Durance, qui formait ici un delta et se jetait directement dans la mer. Il y a dix-huit mille ans, un cataclysme modifia le cours de la rivière, et le delta s'assécha. Mais les galets roulés et polis par les eaux restèrent sur place. **(Réserve naturelle des Coussouls de Crau, Bouches-du-Rhône)**

4 Un demi-dieu sur l'A9

La route creusée par Hercule, cette route qui va du pays des Ibères à celui des Étrusques – c'est-à-dire de l'Espagne à l'Italie –, en passant par les rivages méditerranéens de l'Hexagone, deviendra pour les mortels « la voie hérakléenne », la voie d'Héraklès, selon la forme hellène du nom du héros. Le tracé suivi autrefois par celui-ci a été repris par les Romains... puis aujourd'hui par l'autoroute A9, jusqu'à Arles. Quand nous roulons sur cette autoroute, quintessence orgueilleuse de la modernité, nous mêlons sans le savoir ce qui nous constitue tous : la légende antique, une histoire commune et une géographie partagée.

MARSEILLE

VIX

MASSALIA

ROME

PHOKAIA

ATHENES

De Marseille à la Bourgogne, par la route de l'étain

Des émigrés bien accueillis

Ils sont venus de loin, de Phocée, ville grecque d'Asie mineure (en Turquie actuelle). Deux lourdes galères, toutes voiles dehors, sont parties explorer des terres inconnues. En cette année 599 avant notre ère, les marins ont débarqué sur les rivages de la Gaule ; ils ont pris pied dans une baie caressée par un chaud soleil qui leur rappelle la patrie abandonnée…

Depuis les hauteurs, des hommes observent furtivement ces inconnus surgis de la mer… Dans les montagnes dominant les eaux bleues vivent les Ségobriges, une tribu appartenant au peuple des Ligures, dont l'espace s'étend jusqu'au nord de la péninsule italienne.

Bientôt, Protis, commandant de la flottille grecque, se trouve face à Nan, roi des Ségobriges. La guerre va-t-elle éclater ? Non, personne n'a envie de se battre. Les Grecs ne songent qu'à établir un port à l'ombre des calanques, et les Ségobriges tiennent à rester à l'intérieur des terres, sur les rochers des sommets et dans les forêts alentour.

Pour sceller cette bonne entente, Protis est invité, le soir même, au grand banquet donné en l'honneur de la princesse Gyptis, fille du roi. Au cours du repas, la demoiselle devra choisir un fiancé, et tous les beaux partis ségobriges sont sur les rangs. Mais la princesse tend sa coupe d'eau claire au bel étranger – ce simple geste est promesse de mariage. En cadeau de noces, le roi offre au jeune couple une bande de terre sur la côte, un territoire assez large pour s'y établir, et assez limité pour éviter d'empiéter sur le pays occupé par les Ligures. Chacun chez soi.

Au cours des décennies suivantes, d'autres Phocéens viennent s'installer sur cette terre nouvelle, un port s'établit très vite, puis une ville se dresse face aux flots : la Massalia grecque, notre Marseille.

Les Massaliotes ne sont pas entièrement tournés vers la mer. Pour leur commerce, ils remonteront le Rhône, s'enfonceront dans les terres, marcheront encore et partiront à la rencontre des Celtes.

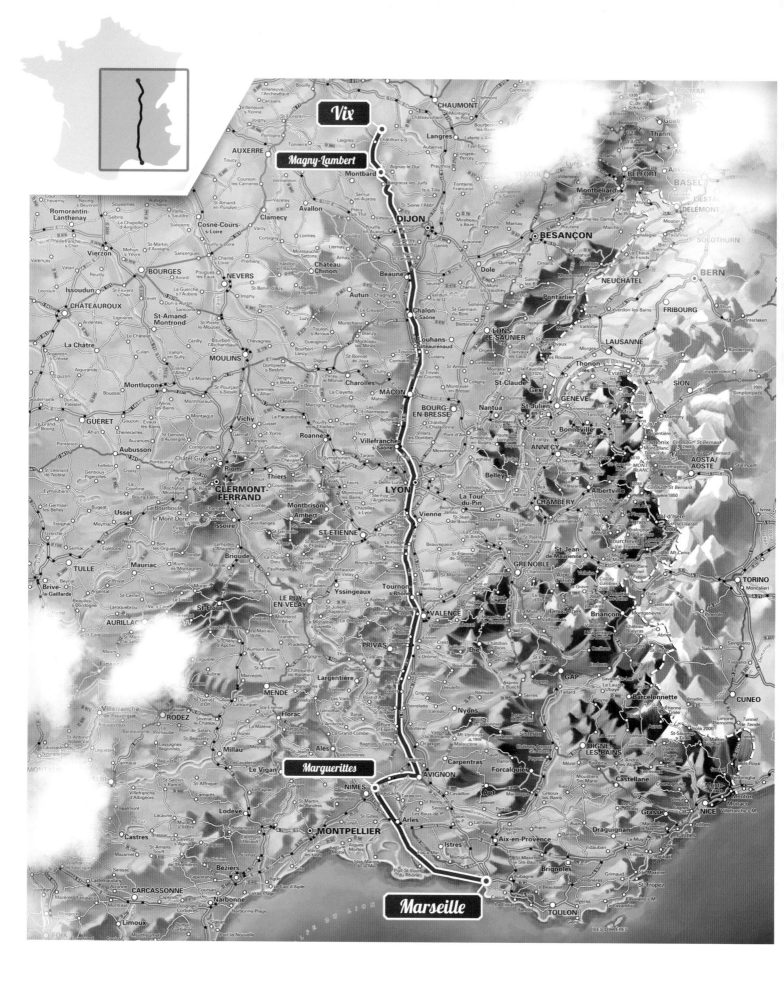

1 Marseille, ville grecque

L'origine hellène de Marseille n'était qu'une légende… jusqu'en 1967 ! Cette année-là, des travaux entrepris pour la construction du Centre Bourse ont mis au jour les restes somptueux de la cité qui abrita jadis les amours de Gyptis et Protis. Dans le jardin du Port Antique se déploie l'architecture grecque : les quais du port, une porte de la ville autrefois flanquée de deux tours – dont il reste les bases – , les remparts qui datent de la fondation de la cité…

Le musée qui jouxte ce jardin recèle aussi de précieux trésors, en particulier une barque en superbe état retrouvée… place Jules-Verne, comme un *Nautilus* exhumé des profondeurs. **(9, rue Henri-Barbusse)**

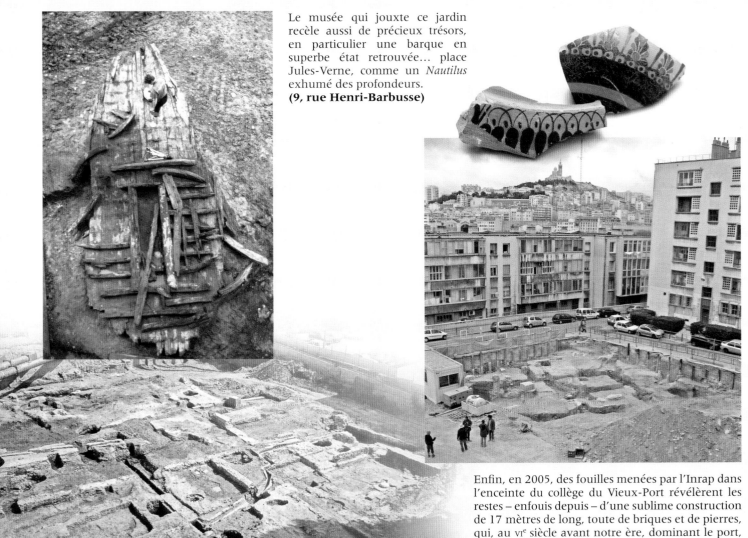

Enfin, en 2005, des fouilles menées par l'Inrap dans l'enceinte du collège du Vieux-Port révélèrent les restes – enfouis depuis – d'une sublime construction de 17 mètres de long, toute de briques et de pierres, qui, au vi^e siècle avant notre ère, dominant le port, abrita banquets et cérémonies.

2 Vix, ville celte

Les Massaliotes n'étaient pas entièrement tournés vers la mer. Pour leur commerce, ils remontèrent le Rhône, et arrivèrent ainsi au pied d'une haute colline de notre Bourgogne. Une ville celtique surplombait la vallée de la Seine… (Nous étions ici au nœud commercial de la route de l'étain, le précieux métal venu des mines de Cornouailles, en Bretagne insulaire. Fondu en lingots, l'étain allait poursuivre sa route vers Massalia, puis serait revendu aux ateliers d'Italie ou de Grèce.)

La ville était érigée sur le mont Lassois, au-dessus du village actuel de **Vix**. Si le site a été fouillé dès les années 1930, c'est en 2007 seulement que les archéologues ont découvert ici les traces d'une agglomération fortifiée de 6 hectares datant du VIᵉ siècle avant notre ère : palais, rue principale, venelles tortueuses, réserves de céréales sur pilotis, citerne, remparts… Grande découverte, car les archéologues ont longtemps pensé que la Gaule n'avait connu un début d'urbanisation qu'un demi-millénaire plus tard.

3 Des tumulus pour sépultures

À Magny-Lambert, à 30 kilomètres au nord de Vix, ces tumulus de pierres et de terre marquent les tombes de guerriers ou de hauts dignitaires celtes. Dans ces sépultures, le guerrier reposait sur un lit de pierres plates avec, à ses côtés, de la vaisselle et son épée de fer.

Un char gaulois découvert à La Côte-Saint-André, dans l'Isère, et datant du vi^e siècle avant notre ère.

4 La route selon les Celtes

On l'a dit et répété : les Romains ont tout inventé des routes et des transports. Faux ! Un demi-millénaire avant l'arrivée des envahisseurs romains, les Celtes possédaient déjà leurs routes empierrées au moyen de gravillons bien tassés. Dans cet « Hexagone » où chaque tribu restait indépendante, ces premières voies de communication n'étaient pas construites selon un plan central ; elles étaient le fruit du hasard et de la nécessité, mais elles facilitaient le mouvement des tribus et favorisaient les échanges. Ces routes n'étaient pas droites à la manière romaine ; elle étaient, au contraire, assez sinueuses pour éviter les obstacles naturels, mais toujours solides et aplanies afin que puissent rouler facilement, presque sans heurts, leurs véhicules aux 4 roues cerclées de fer et tirés par des bœufs.

En 1995, un chemin empierré, large parfois de 4 mètres, a été exhumé à **Marguerittes**, dans le Languedoc-Roussillon (ci-dessous)…

… À **Cagny**, dans le Calvados (ci-contre), c'est une voie celtique bordée de fossés et empierrée sur plusieurs mètres qui a été mise au jour en 2008.

VIX

BLIESBRUCK

Vix

De la Bourgogne à la Lorraine, par les routes de l'ambre et du sel

Vers les richesses du nord

Au sommet de la colline où s'étage la ville celtique de Vix, se dresse le palais où règne la Grande Dame, à la fois souveraine et prêtresse, esprit et corps venus commander aux mortels pour les conduire sur les chemins de l'abondance et apaiser les divinités coléreuses. Dans son char de parade rehaussé de plaques de bronze ajourées, la Grande Dame arpente chaque jour les rues de sa ville. Mais soudain une longue plainte fait frémir la colline… La Grande Dame est conduite en son palais le crâne fracassé. Que s'est-il passé ? On ne sait pas. Une seule chose est certaine : à 35 ans, la Grande Dame n'est plus.

À sa mort, vers 480 avant notre ère, la ville sur la colline disparaît ; rues, maisons, palais, temple, nécropole sont abandonnés. Le commerce sur la Seine, qui faisait si bien vivre la cité, a perdu de son importance. En effet, les négociants massaliotes ne viennent plus dans ces parages acheter l'étain ou vendre leurs marchandises : ils ont retrouvé la mer depuis que leurs principaux concurrents en Méditerranée, les Phéniciens et les Étrusques, ont perdu de leur superbe, écrasés militairement par les Grecs.

En quittant la ville sur la colline, nous suivons le mouvement des foules toujours en quête de terres nouvelles. Et nous parvenons à un nœud routier. Du haut d'un promontoire, Langres veillera bientôt sur ces voies de communication, et notamment sur la route de l'ambre, voie transcontinentale qui relie les gisements de la mer Baltique au monde méditerranéen. À partir de là, nous suivrons les fleuves – la Saône, la Moselle – puis, remontant cette ligne, nous pénétrerons dans une région qui deviendra plus tard la Lorraine…

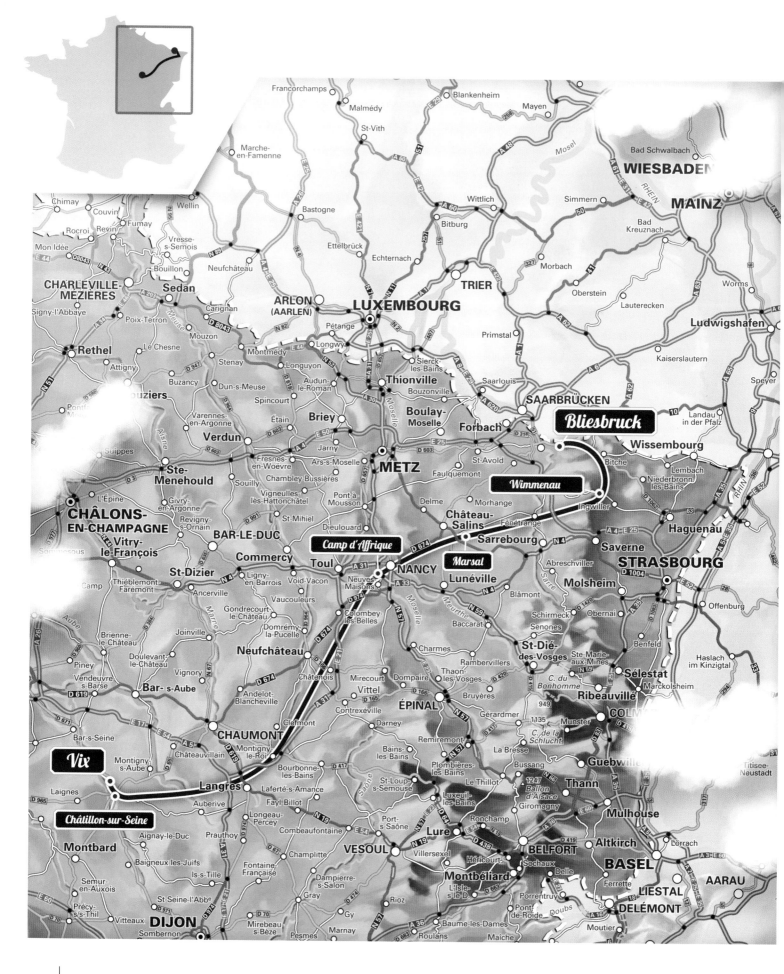

1

Les richesses de la Grande Dame

La Grande Dame et sa tombe avaient été oubliées. Pas tout à fait cependant : en 1447, dans une chanson de geste, le poète Jehan Wauquelin évoquait une ville légendaire construite autrefois sur le mont Lassois. Et il expliquait que le terme « Lassois » était un dérivé de la déclinaison latine *lateo*, qui signifie « je suis caché ». Qu'avait-on caché ? Selon les gens du pays qui se transmettaient le merveilleux secret, de grands trésors avaient autrefois été dissimulés dans les flancs de la colline…

Il faudrait attendre 1953 pour trouver enfin la riche sépulture de la Grande Dame et comprendre que la légende disait vrai. Parmi les trésors découverts près de Vix, l'objet le plus impressionnant reste ce gigantesque vase de bronze aux Gorgones grimaçantes… 1,64 m de haut, 208 kilos, 110 litres de contenance ! Une œuvre d'art grecque sans doute offerte par des marchands à la princesse celtique. **(Musée du Pays châtillonnais, Châtillon-sur-Seine)**

Reconstitutions du visage de la Grande Dame (plâtre) et du palais ; coupe attique et torque en or retrouvés dans le tombeau.

2 Sur notre route : Camp d'Affrique

Camp d'Affrique… Non, ce n'est pas le continent mal orthographié : le mot provient d'un terme ancien qui signifiait « escarpé ». De ce point stratégique surplombant la vallée de la Moselle, les Celtes contrôlaient la rivière qui coule 200 mètres en contrebas. Deux hauts monticules herbeux disposés en remparts parallèles et séparés par un fossé constituent les vestiges du dispositif de défense élevé jadis. On devine les traces de l'enceinte principale, dont les dimensions sont impressionnantes : 600 mètres de long, 50 mètres de large, 9 mètres de hauteur… Ces remparts ressemblent aujourd'hui à de simples talus, hélas, mais je veux croire que l'âme des Celtes vibre encore sur ces terres envahies par la végétation. **(Commune de Messein, Meurthe-et-Moselle)**

Fibule en bronze retrouvée sur les lieux.

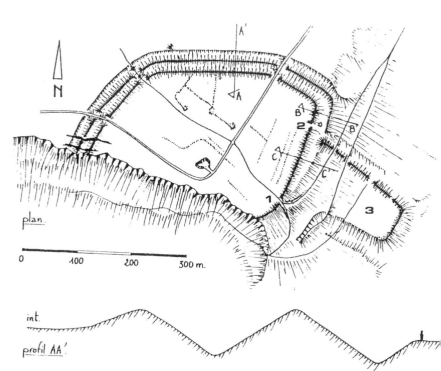

3 Le sel des Celtes

Continuons à suivre la Moselle, à la rencontre des Médiomatriques, une tribu celtique. De la butte sur laquelle ils ont installé leur citadelle surgira un jour la ville de Metz. Pour dresser leurs remparts de bois, les Médiomatriques ont choisi un lieu stratégique au confluent de la Moselle et de la Seille, un petit cours d'eau qui nous entraîne sur une autre voie commerciale : la route du sel. À 20 lieues celtiques de là – environ 50 kilomètres –, nous pénétrons dans le pays des sources salées, bienfaits des dieux. On extrait ici cet indispensable condiment que les riches aiment pour relever le goût des plats, que les pauvres utilisent pour conserver les aliments, et dont tous se servent comme monnaie d'échange.

Pour obtenir les petits cristaux de sel, les Celtes ont inventé une technique particulière : le « briquetage ». Des cuvettes emplies d'eau salée étaient d'abord préchauffées dans des fours. On obtenait ainsi une saumure aussitôt versée dans des moules en terre cuite posés sur une petite structure composée de plusieurs bâtonnets en argile, puis le tout était délicatement placé au-dessus des fours. La forte chaleur provoquait la cristallisation du sel. On laissait refroidir, on brisait le moule, et le pain de sel apparaissait. Ce procédé était efficace, mais pas très écologique : pour obtenir la cristallisation, il fallait brûler des arbres en quantité effarante ! À tel point que la région, jusqu'ici très boisée, finit par ressembler à un marais dévasté.

Près de Moyenvic, des fouilles réalisées en 1999 ont permis de mettre au jour une quarantaine de fourneaux celtes creusés dans le sol, ronds, longs et recourbés, ou en fer à cheval ; dès 2001, des sondages autour de sources d'eau salée près de Vic-sur-Seille, Moyenvic et Marsal ont révélé des fragments de moules ayant servi à fabriquer des pains de sel. Pour retrouver la trace des Celtes sauniers, il faut se rendre à **Marsal**. Au **musée du Sel**, vous découvrirez en grandeur nature le procédé celtique du briquetage, mais aussi l'archéologie, l'histoire et la légende du sel.

4 Un menhir celte toujours debout

On l'appelle le « Breitenstein », c'est-à-dire « la large pierre ». C'est un menhir qui marquait le carrefour des voies celtiques. En un temps où les panneaux informatifs et les affiches publicitaires n'avaient pas encore envahi les routes, les menhirs et autres mégalithes étaient réemployés comme points de repère.

Au XIIᵉ siècle de notre ère, ce bloc de grès des Vosges, haut de près de 4,50 m, marquait la frontière entre l'Alsace et la Lorraine. En 1787, le monument a été christianisé par l'adjonction d'une croix sur son sommet et d'une représentation sculptée des 12 apôtres sur ses 4 côtés. Mais six ans plus tard, au moment de la Révolution, les apôtres ont été décapités. Par la suite, les bas-reliefs sans tête ont été restaurés et le menhir indique désormais la limite entre 2 départements, la Moselle et le Bas-Rhin. (**Route de Wimmenau, via Goetzenbruck, parc naturel des Vosges, entre Strasbourg et Sarreguemines**)

5 La princesse de la Blies

Suivons la route jusqu'à la limite de l'Hexagone, marquée ici par une petite rivière, la Blies… Nous voici à Bliesbruck. En ce Vᵉ siècle avant notre ère, il existait ici une petite ville semblable à celle que nous avons quittée en Bourgogne, mais plus jeune d'un siècle. Sur l'autre rive de la Blies, dans ce qui est aujourd'hui l'Allemagne, une Grande Dame a été richement inhumée. La voilà, la princesse de la Blies… Elle est là, étendue devant nous, avec ses objets rituels posés près d'elle. Avec elle, nous franchissons les millénaires, nous voyons ce qu'ont vu les Celtes en confiant le corps de leur Grande Dame à l'éternité. La tombe reconstituée nous fait entrer dans un monde disparu…

En 1954, des travaux entrepris sur une sablière de Reinheim mirent au jour une chambre funéraire en bois. Il ne restait rien de la défunte, mais les éléments de parures et les offrandes funéraires déposées permirent une reconstitution précise de la tombe. La princesse celtique portait de riches bijoux, et à ses côtés avaient été déposés quelques amulettes, un miroir de bronze, des perles en ambre et en verre. Enfin, rien n'avait été oublié pour le grand banquet de l'au-delà : plats en airain, cruches, cornes à boire. **(Parc archéologique européen de Bliesbruck-Reinheim)**

De la Lorraine en Languedoc-Roussillon… et jusqu'en Italie ! par la route du fer

Brennus, le premier Gaulois

La montagne tremble. Des hommes s'agitent, arrachent des pans de roche aux flancs escarpés. De Bliesbruck, nous nous sommes dirigés vers le nord pour atteindre le Rhin, et nous voilà au pied du Hunsrück, massif montagneux situé aujourd'hui en Allemagne. C'est ici la métropole du fer.

En ce IVe siècle avant notre ère, le fer est à la mode. Il s'impose partout – armes, outils, fibules. Et même l'art ancestral de la guerre s'en trouve modifié : l'épée des Celtes, solide, tranchante et longue de 1 mètre, fait son apparition sur les champs de bataille.

Quittons les rives du Rhin pour pénétrer plus loin à l'intérieur de l'Hexagone… Parmi les peuples celtiques, les Sénons sont les plus puissants. Ils ont construit leur capitale au bord de l'Yonne, et cette ville prendra plus tard le nom de ses fondateurs en devenant Sens. Avant de mener bataille, on fait appel aux druides, qui doivent désigner le chef de l'armée. Le seigneur de la guerre devra être fort comme le taureau, inspirer la crainte comme le loup, regarder la mort en face comme le noir corbeau, honorer la vie comme le cygne blanc. Les druides choisissent cet homme béni des dieux, celui que les Romains appelleront Brennus. En fait, dans le parler celtique, le vocable « Brenn » signifiait simplement « chef de guerre ».

Sous l'autorité du Brenn, les forces celtiques se mettent en marche vers le sud. Cette armée suit le couloir rhodanien, continue sa route par la voie héracléenne, suit la vallée de la Durance, franchit le col alpin du Montgenèvre et descend dans la plaine du Pô… Leur objectif, c'est l'Italie !

Au mois de juillet 390, les Celtes arrivent près de Rome…

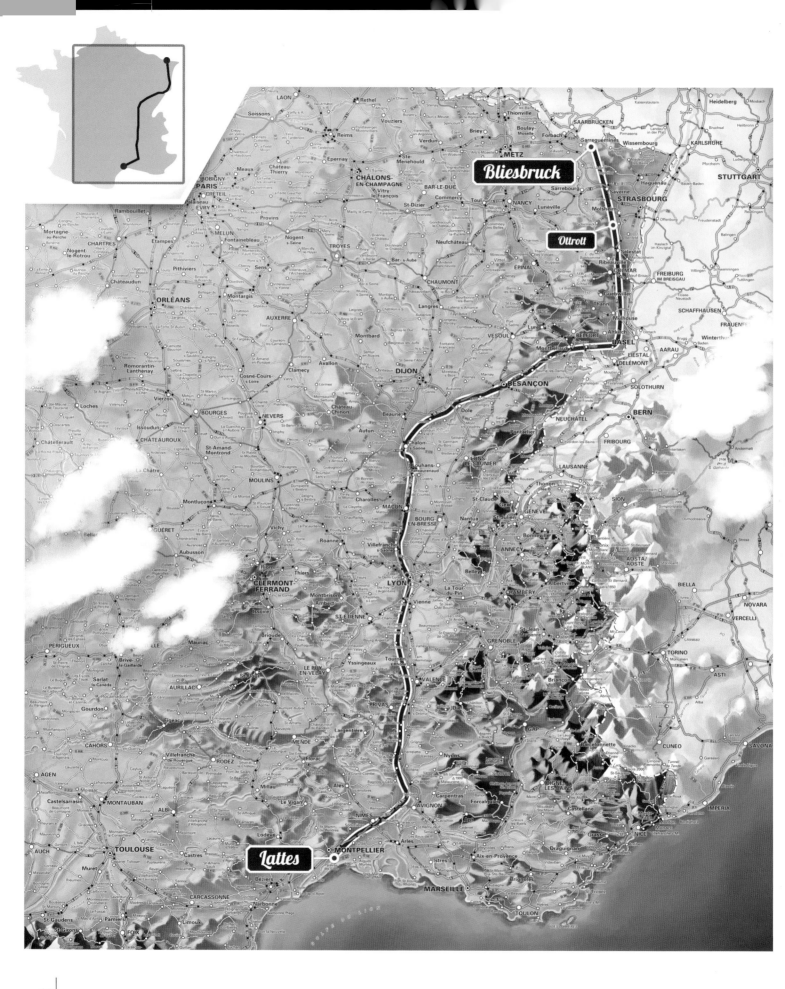

Bliesbruck

Ottrott

Lattes

1 Un mur pour rêver l'Histoire

Les Celtes suivaient le Rhin pour descendre vers les richesses du sud… Tout au long de cette voie, les druides ont développé leur culte sur les hauteurs, au plus près des forces obscures…

Qui a dressé ce mur du mont Sainte-Odile, près de Strasbourg ? A-t-on prié ici les divinités gauloises ? Quel est le sens de ce « mur païen » ? Archéologues et historiens se disputent âprement concernant la datation de cette étonnante construction… Ce mur de 10 kilomètres de long a-t-il été dressé au vi^e siècle avant notre ère ? Plus tard, à l'époque gallo-romaine ? Plus tard encore, sous la dynastie mérovingienne ? Un mystère qui, pour nous, fait vibrer l'Histoire ! Au cœur de la forêt, nous pouvons venir rêver à ces hommes qui se protégèrent derrière ces solides blocs de grès pour exprimer leur foi, leurs craintes et leurs espoirs. **(À Ottrott, sur le mont Sainte-Odile)**

2 Comment le Brenn a évité Lattes

En cheminant vers l'Italie, le Brenn et ses hommes se sont approchés de Lattara, aujourd'hui **Lattes,** dans la périphérie de Montpellier. Ce port, allié de Massalia, allait-il être attaqué par les Celtes ? Non ! Chacun a voulu éviter une guerre inutile et dévastatrice. Depuis 1963, des fouilles régulières ont mis au jour une vue étonnamment claire du système urbain de l'époque, au point de permettre une impressionnante reconstitution du port.

Le **musée archéologique Henri-Prades** expose des vestiges qui témoignent de l'activité du port antique et des relations qu'il entretenait avec le monde méditerranéen : céramiques, urnes en verre, outils, vaisselle, bijoux, lampes à huile, monnaies, mosaïques, sculptures, etc.
Dans ce port, un solide rempart a été construit en ce IVe siècle avant notre ère, mais un rempart dressé face à la mer, et non face à la terre : les Massaliotes et leurs comptoirs craignaient donc davantage les pirates venus du large que les envahisseurs descendus du nord.

3 Le chant du coq gaulois

Les phalanges romaines ne peuvent résister à l'impressionnante force de frappe des Celtes et de leurs épées : le Brenn et ses hommes entrent dans Rome. Les envahisseurs n'ont rien de plus pressé que de mettre le feu à la ville. Tout brûle : les plus beaux palais comme les modestes cahutes ! Mais il reste le Capitole, où se sont réfugiés les derniers combattants romains. Une nuit, les Celtes tentent silencieusement une percée ; ils approchent de la citadelle, vont surprendre les soldats endormis… Mais les oies sacrées prennent peur, elles battent des ailes et cacardent si fort qu'elles finissent par alerter la garnison romaine, qui se dresse et se défend. Le Capitole est épargné.

En fait, les Celtes accepteraient bien de retourner en Gaule, mais pas sans toucher le bénéfice de leur victoire : ils exigent une rançon de 1000 livres ! Rome ne possède pas les moyens de verser ce tribut, alors Massalia, tellement plus riche et plus puissante, vient au secours de son alliée…

Les Romains jurent de combattre la « race » qui a osé incendier leur ville. Ah bon, mais quelle race ? Ne sachant rien de ces ennemis, ils les désignent par un terme nouveau : *Galli*, les Gaulois.

Galli… un jeu de mots latins ! En effet, ce terme est le pluriel de *gallus* – le coq – et les Romains ne sont pas mécontents de leur humour ; pour eux, les Gaulois sont comme le maître de la basse-cour : braillards, colorés et prétentieux. Et ce coq gaulois, nous ne l'avons pas oublié, nous l'avons même adopté. S'il n'a jamais vraiment été un emblème officiel, on le retrouve aujourd'hui sur une grille du palais de l'Élysée (**Avenue Gabriel, Paris**)… et surtout sur les maillots des équipes de France de foot et de rugby.

Du Languedoc-Roussillon aux Alpes, par le chemin des éléphants

Quelques mois dans la vie d'Hannibal

Nous avons quitté Rome incendiée pour retourner à Lattara. Dans ce port des rivages méditerranéens de la Gaule convergent les richesses et les beautés du monde : vases étrusques, poterie ionienne, céramique corinthienne, métal transporté par les Ibères, armes forgées par les Gaulois, vin produit par les Romains.

Mais en ce mois d'août de l'année 218 avant notre ère, les guetteurs de Lattara sonnent l'alarme : une armée s'avance sur la voie hérakléenne ! Hannibal est entré en terre gauloise à la tête de ses puissantes cohortes. En fait, le général carthaginois a quitté la terre des Ibères pour attaquer Rome. Il aurait été plus simple de passer par la mer… Simple, oui, mais trop évident. Alors Hannibal a imaginé une autre tactique : remonter les côtes ibériques par les routes terrestres, pénétrer à l'intérieur de la Gaule, traverser les fleuves, redescendre en direction des Alpes, grimper un col et fondre brusquement sur l'Italie par la plaine du Pô. Et pour faire bonne route, le général a réuni à Ruscino – aujourd'hui Château-Roussillon, près de Perpignan – les chefs des tribus gauloises des environs. Pour traverser le pays en toute sécurité, Hannibal a promis la guerre à ceux qui s'opposeraient à sa marche, et il est parvenu à lever les hésitations en distribuant de l'or, du bétail, des amphores gorgées de vin…

Il est vrai que personne n'a envie de se mesurer à cette force impressionnante : 50 000 fantassins, 9 000 cavaliers, 37 éléphants… Et ces pachydermes terrifient : nul n'a encore vu en ces parages ces animaux étranges à la longue trompe, aux défenses menaçantes et aux barrissements déconcertants.

Hannibal et son armée poursuivent leur périple à travers la Gaule. La première étape d'une aventure qui ne fait que commencer : Hannibal restera quinze ans à guerroyer en Italie… et ne parviendra jamais à prendre Rome.

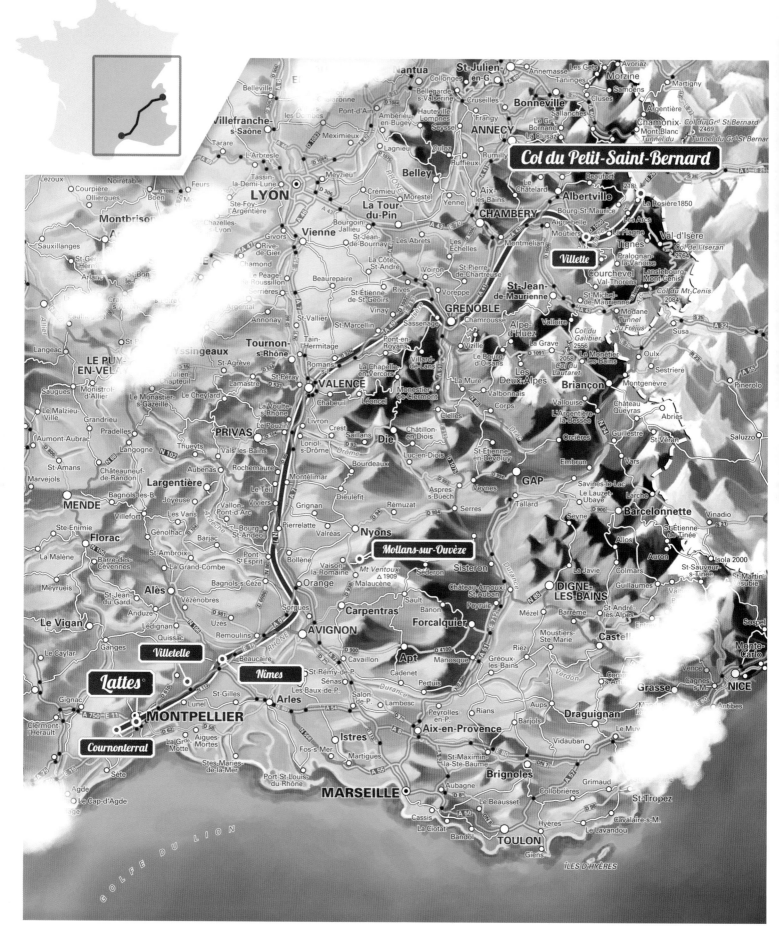

1 Les fortifications gauloises

Crainte des attaques d'autres tribus ou peur des pillages, les Gaulois prirent l'habitude de se protéger derrière des hautes murailles. De la riche cité d'Ambrussum, sur la voie hérakléenne, il nous reste ces fortifications qui protégeaient les habitants et leurs richesses. (**À Villetelle, en Languedoc-Roussillon**)

La tour Magne à Nîmes 2

Gall, amant de la Reine, alla, tour magnanime,
Galamment de l'arène à la tour Magne, à Nîmes.
Ces 2 vers qui se prononcent de la même manière – mais n'ont pas le même sens – ont assuré l'éternité de leur auteur, le Genevois Marc Monnier, et ont permis à la tour octogonale de Nîmes d'entrer dans l'histoire littéraire. Cette tour Magne (du latin *magnus*, c'est-à-dire la grande tour) a été rehaussée par les Romains et se dresse ainsi à plus de 30 mètres de hauteur. Mais, à l'origine, au IIIe siècle avant notre ère, c'était une tour de guet élevée par des Gaulois soucieux de contrôler l'horizon.

3 Le périple gaulois d'Hannibal

À travers le temps, de nombreux historiens ont tenté de déterminer le chemin suivi par Hannibal et ses troupes dans leur traversée de la Gaule. Le Grec Polybe fut le premier à se poser cette question. Soixante-dix ans après les événements, il refit le voyage et recueillit quelques témoignages… Polybe a raconté l'épopée, mais il s'est montré flou dans les détails géographiques. Sans entrer dans le débat qui anime les passionnés depuis des siècles, tentons de tracer un itinéraire « probable » en utilisant les repères d'aujourd'hui, des villes et des sites qui n'existaient pas alors, mais qui nous dessinent un parcours intelligible…

Après avoir franchi les Pyrénées au col du Perthus, Hannibal a réuni les chefs gaulois près de Perpignan, à Château-Roussillon (l'ancienne Ruscino), dans le département des Pyrénées-Orientales. Après s'être assuré de la neutralité bienveillante des tribus, il a suivi la voie héakléenne : Narbonne, Béziers, Montpellier, Nîmes.

Ensuite, les troupes carthaginoises ont quitté le chemin du littoral pour remonter vers le nord en suivant la vallée du Rhône et franchir le fleuve quelque part entre Villeneuve-lès-Avignon et Pont-Saint-Esprit. Puis, ce fut la route vers Valence, et virage à droite pour suivre la rive droite de l'Isère.

Hannibal, ses hommes et ses éléphants sont ainsi passés du département de l'Isère à celui de la Savoie… Ils ont été attaqués par des Gaulois une première fois entre Grenoble et Chambéry, puis une seconde fois dans la vallée de la Tarentaise. Les textes anciens parlent d'un « rocher blanc » derrière lequel le général carthaginois se serait protégé durant toute une nuit lors de la seconde attaque… Il s'agit certainement du rocher de Sainte-Anne à Villette, réputé depuis l'Antiquité pour son marbre blanc, unique dans les Alpes. Et l'armée a continué jusqu'au col du Petit-Saint-Bernard…

La fontaine des Éléphants

4

Les plus vieilles pierres de l'arc roman de cette fontaine remontent au xiie siècle… À cette époque, le monument a été érigé en souvenir d'Hannibal, qui aurait fait boire ses éléphants à cette source située à 2 kilomètres de la voie héakléenne. Il est vrai que le long cortège devait sans cesse rechercher des points d'eau fraîche, et celui-ci a sans doute dû désaltérer une partie des hommes et des animaux en marche. La fontaine fait aujourd'hui l'orgueil des habitants du village de **Cournonterral**, en **Languedoc-Roussillon**.

5 ### Peut-on encore sauver l'éléphant d'Hannibal ?

Ce graffiti vieux de deux mille deux cents ans a été découvert en 1977, un peu en retrait du chemin suivi par l'armée carthaginoise après la traversée du Rhône. Après avoir vu les éléphants d'Hannibal, un Gaulois a tenu à marquer sa surprise en peignant sur la paroi d'une grotte un éléphant en traits noirs, l'extrémité de la trompe enroulée sur elle-même.

Cet émouvant témoignage se trouve sur la commune de **Mollans-sur-Ouvèze (Drôme)**. La grotte n'est accessible qu'en été, la rivière recouvrant la peinture le reste de l'année. Malheureusement, le temps, les flots, les passages exercent leur action inexorable, effaçant progressivement le dessin : comment faire pour sauver l'éléphant d'Hannibal ?

6 ### Le col qu'Hannibal a franchi

Sur le col du Petit-Saint-Bernard, à plus de 2 000 mètres d'altitude, voici le « cromlech ». Ici, comme dans le Finistère, comme dans le Morbihan, comme en Irlande, l'humanité du fond des âges a dessiné un alignement circulaire de pierres. S'attarder un peu sur le replat du col, zigzaguer dans l'espace du mégalithe qui a vu bivouaquer l'armée carthaginoise : voilà pour moi la manière la plus sûre de mettre mes pas dans ceux d'Hannibal.

Pourquoi ce col et pas un autre ? Ce choix m'est suggéré par la lecture de Polybe. Que nous dit-il ? Hannibal a franchi les Alpes pour se rendre chez les Insubres, peuple ennemi des Romains. Or, le Petit-Saint-Bernard était le seul col à mener en pays insubre. Tous les autres conduisaient directement chez les Taurins, alliés des Romains. Hannibal n'avait guère envie de se jeter dans la gueule du loup…

NARBONNE
La via Domitia

Des Alpes à Narbonne, par la via Domitia

La vengeance des Romains

Des éléphants sont de retour dans les Alpes ! En cette année 125 avant notre ère, une armée romaine et quelques pachydermes franchissent les cols et se dirigent vers la Gaule du Sud…

Cette cohorte se porte au secours de Marseille, qui a appelé son allié à la rescousse. En effet, la ville des Phocéens n'a plus la force de contenir les Gaulois qui l'agressent par les terres et les Ligures du nord de l'Italie qui l'attaquent par la mer.

Dans leur guerre contre les Gaulois, les Romains se heurtent à une résistance acharnée et les combats s'éternisent. À l'aube du 8 août de l'an 121 s'annonce la grande bataille. Arvernes et Allobroges, deux peuples gaulois, ont mobilisé 200 000 hommes. Face à eux, les Romains ne peuvent aligner que 30 000 légionnaires… La bataille s'engage dans une plaine qui est aujourd'hui le Comtat Venaissin. L'art romain de la guerre pulvérise les Gaulois, et ceux qui parviennent à éviter le glaive mortel préfèrent prendre la fuite.

Les Romains ne songent pas à quitter la Gaule, mais que faire d'une armée qui n'a plus à se battre ? Le consul Domitius l'envoie casser des cailloux ! Il estime, en effet, que l'ancienne voie héakléenne doit être refaite, repensée, reconstruite.

Quand la route est enfin terminée, en 117 avant notre ère, le Sénat romain rend un vibrant hommage à Domitius en donnant son nom à l'ouvrage : la via Domitia, la voie domitienne. Hercule, le demi-dieu, a été remplacé par un consul… Ainsi va le monde.

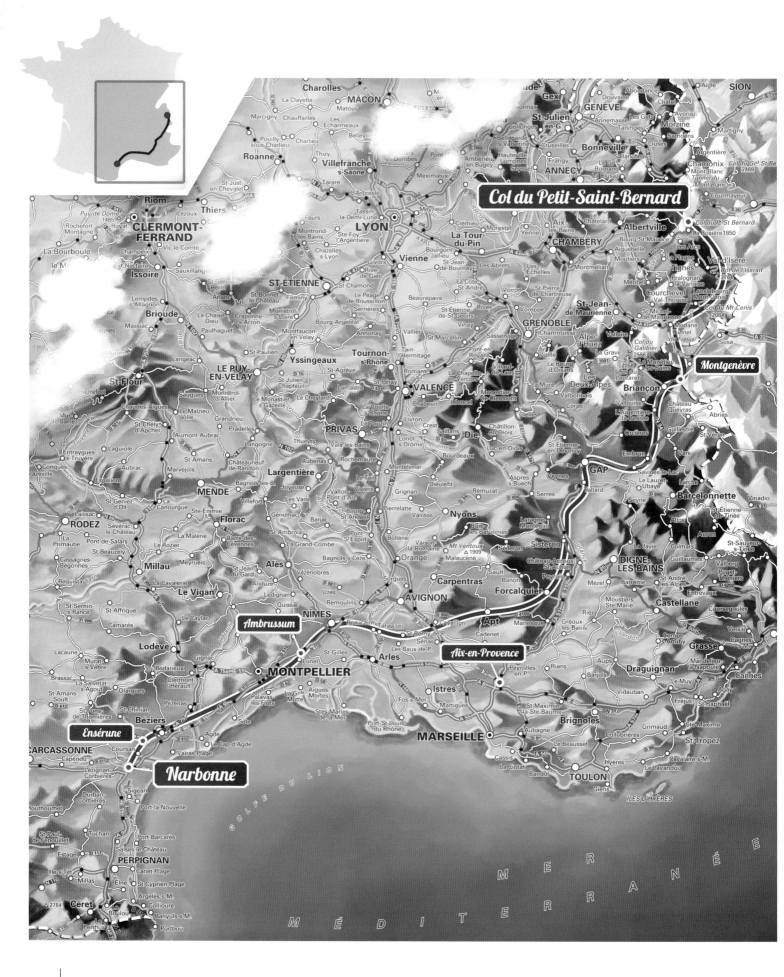

Col du Petit-Saint-Bernard

Montgenèvre

Ambrussum

Aix-en-Provence

Ensérune

Narbonne

1 Les ruines de la capitale des Salyens

Une ville haute protégée par une muraille et, en contrebas, les restes d'une ville basse – peut-être le lieu où étaient disposés les entrepôts, les magasins, les ateliers… Voici les Salyens dans leur quotidien avant l'ouragan romain. Non loin du centre-ville d'**Aix-en-Provence**, sur ce **site d'Entremont**, on a retrouvé les traces d'une cité riche, avec ses statues, ses rues, ses habitations, son temple… Quelle émotion de se promener au cœur des vestiges de cette ville gauloise qui crut pouvoir repousser l'envahisseur !

Les eaux tièdes de Sextius Calvinus 2

Il y eut un consul romain qui n'aimait pas trop la guerre. Sextius Calvinus avait envie de profiter d'un peu de farniente sous le doux climat de la Gaule du Sud, près de la ville détruite des Salyens. Il aimait la région, ses collines boisées, ses petites rivières et sa source d'eau tiède au goût soufré dont on disait qu'elle fortifiait le corps. Le consul fonda en cet endroit une place forte romaine à laquelle il donna de manière un peu vaniteuse son propre patronyme : Aquae Sextiae, les eaux de Sextius. Ce serait un jour Aix-en-Provence.

3 Construire une route à la romaine

Pour se construire, une route romaine demandait d'abord l'intervention des *architeci*, des ingénieurs venus étudier le terrain, tâter la terre, jauger les horizons… Pour déterminer le meilleur tracé, ceux-ci utilisaient deux instruments : le chorobate et le groma.

Le premier (ci-contre, à droite) était un imposant niveau d'eau qui calculait les dénivelés du terrain. Le second se présentait comme une perche pivotante munie de fils à plomb et permettait de vérifier les alignements (ci-dessus). La future voie était ainsi choisie, matérialisée dès lors par de simples piquets plantés dans la terre : les travaux pouvaient commencer !

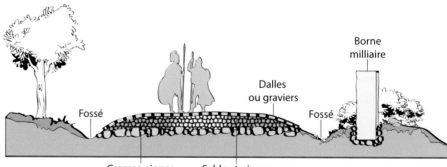

Les légionnaires, si glorieux sur les champs de bataille, se transformaient alors en cantonniers. Tout au long de la voie, ils plantaient des bornes éloignées les unes des autres d'un mille romain, c'est-à-dire environ 1 kilomètre et demi. Sur ces pierres dressées étaient gravés des chiffres et des lettres qui donnaient essentiellement la distance entre deux points précis. De cette façon, le voyageur savait à tout moment à quel endroit il se trouvait, quelle distance il avait déjà franchie et ce qui lui restait à parcourir. Une vraie révolution dans la manière de se déplacer !

En suivant la via Domitia

Sur une partie du tracé, le consul Domitius a simplement repris l'itinéraire de l'ancienne voie héracléenne, mais à partir d'Arles, tout change : la Domitia (ci-contre) choisit l'itinéraire intérieur qui passe par la vallée de la Durance et mène aux Alpes.

Pour mettre les roues de nos automobiles dans les pas du consul de jadis, il faut partir du Montgenèvre, passer par Gap, dans le département des Hautes-Alpes, continuer jusqu'à Sisteron dans les Alpes-de-Haute-Provence, puis Apt dans le Vaucluse jusqu'à Cavaillon par la départementale 900 – dont le tracé rectiligne a été imaginé par Domitius lui-même. Un peu plus loin, on se raccroche à la départementale 99 ; un petit crochet nous mène à Arles dans les Bouches-du-Rhône, puis à Nîmes dans le Gard, et l'on file tout droit jusqu'à Montpellier pour se brancher sur l'autoroute A9. Afin de rester fidèle à la Domitia antique, petit virage pour arriver à Narbonne, dans l'Aude, et voici bientôt Château-Roussillon, près de Perpignan ; après quoi, on atteint la pointe extrême de la via Domitia dans l'Hexagone, au col du Perthus. Un itinéraire de près de 700 kilomètres qui nous conduit des Alpes aux Pyrénées et relie toujours l'Italie à l'Espagne.

En marge de la via Domitia, les vestiges de l'oppidum d'Ensérune nous rappellent l'importance de cette voie commerciale...

5 La borne de Domitius

Voici la borne romaine la plus ancienne retrouvée dans l'Hexagone. Cette pierre de grès haute de près de 2 mètres date de l'époque du fondateur de la voie ; le nom de celui-ci est d'ailleurs écrit dessus : DOMITIUS AHENOBARBUS. Le chiffre XX y est gravé ; il représente la distance en milles romains entre Narbonne et Pont-de-Treille, lieu de la découverte en 1949. (**Musée archéologique, place de la Mairie, Narbonne**)

La via Domitia à Narbonne

La via Domitia traverse toujours Narbonne sous le nom évocateur de **rue Droite** (ci-dessous). Au début de celle-ci, un peu en contrebas, ses vestiges nous attendent **place de l'Hôtel-de-Ville** (ci-contre) : par-delà les bruits de la ville moderne, des pierres noires parfaitement ajustées gardent la mémoire du crissement des charretons et des sabots des chevaux, telle une rumeur venue du fond des âges.

Le port de Domitius

L'archéologie, bien souvent, vient au secours de l'Histoire. Le port qu'a voulu créer le consul Domitius pour concurrencer Marseille ne vivait que dans les mémoires… jusqu'en 2010 ! Des archéologues se sont mis à fouiller la terre et le passé a surgi des sables.

À **Port-la-Nautique**, un long canal a été mis au jour dans la lagune. C'était ici le centre de l'activité commerciale du port : il conduisait tout droit à des entrepôts dans lesquels on stockait sans doute les amphores de vin qui attendaient les clients…

À une dizaine de kilomètres de La Nautique, au **Grand Castelou**, les fouilles se poursuivent. C'était peut-être ici le cœur administratif du port de Narbo Martius. Deux quais, des bâtiments, des citernes, une forge et des bains font toucher du doigt l'importance de ce lieu il y a plus de deux mille ans.

De Narbonne à Lyon, par la via Agrippa

Le rêve gaulois de César

Pour les légions romaines, Narbo Martius, Narbonne, est une base arrière devenue indispensable depuis que l'Hispanie est en révolte. Sous la conduite de Pompée, l'armée romaine franchit les Pyrénées... Il faudra six années aux légionnaires pour rétablir là-bas l'ordre romain. Sur le chemin du retour, Pompée s'arrête au col du Perthus et fait élever un trophée aux victoires romaines.

Un peu plus tard, en 60 avant notre ère, c'est peut-être devant ce monument qu'un autre Romain vient pleurer... Cet homme sanglote en songeant aux triomphes de Pompée, alors que lui-même, à 40 ans, n'a encore rien accompli !

Ce magistrat romain dépressif, c'est Jules César. Et cette gloire tant attendue, il va la trouver en Gaule en l'an 52 avant notre ère... À la tête de 10 légions, il écrase les tribus rebelles.

César a obtenu la gloire dont il rêvait, il devient dictateur, et il est assassiné. Mais sa lignée va grimper plus haut encore. Son fils adoptif, Octave, se fait empereur et prend le nom d'Auguste. Alors, ce trophée que César n'a pas eu le temps d'élever à sa propre gloire, c'est le premier empereur de Rome qui l'impose dans les Alpes, à l'opposé géographique du trophée de Pompée.

L'empereur confie le destin de la Gaule à son ami Agrippa. Pour relier les différents points du territoire, celui-ci préconise la mise en place d'un réseau routier... De Lugdunum, petit bourg celtique, 4 voies mèneront vers le Rhin, la Manche, l'Atlantique et la Méditerranée... Un ensemble qui sera la via Agrippa. Au cœur de cette étoile, Lyon sera bientôt la capitale de la Gaule !

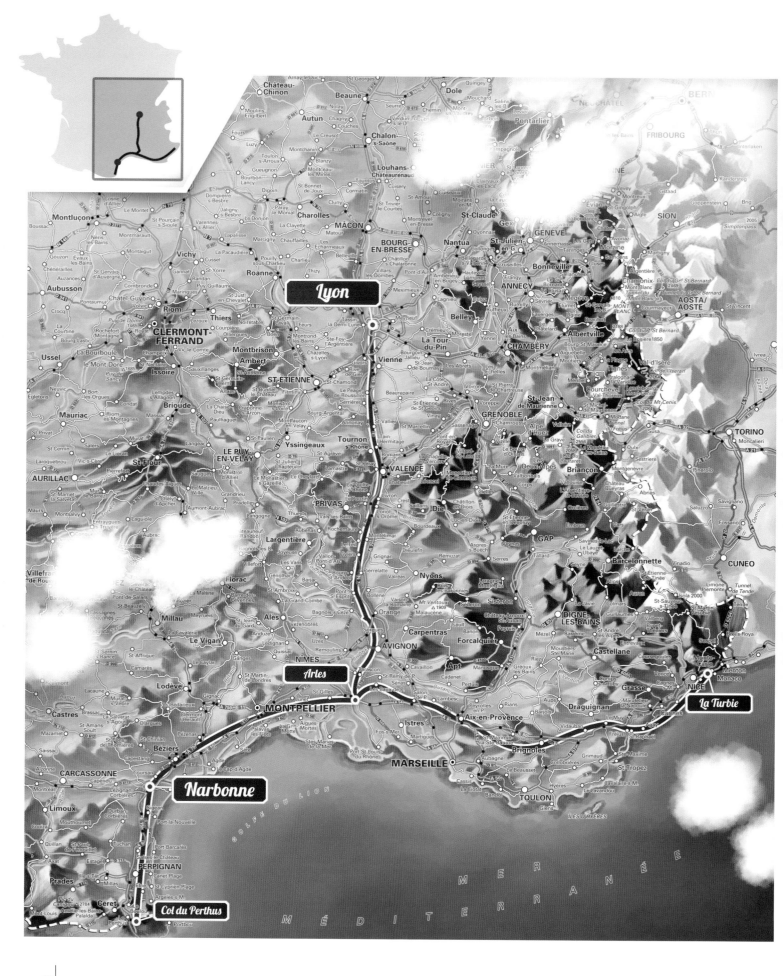

1 **Les dernières pierres du trophée de Pompée**

Des fouilles entreprises dès 1984 au col du Perthus, dans les Pyrénées, permirent de mettre au jour des tronçons de la via Domitia et de découvrir les fondations du trophée. Ici, en 71 avant notre ère, le général romain fit élever un somptueux monument en blocs de grès où était gravée la liste interminable des 876 sites, villes et villages conquis en Hispanie. Et la route passait sous un arc de triomphe rectangulaire surmonté d'une tour carrée flanquée de colonnades. De tout cet apparat il reste peu de chose : deux soubassements allongés taillés dans le rocher... Le temps n'a pas épargné l'orgueilleuse construction et a cruellement rogné la gloire de Pompée.

2 **César retrouvé**

En 2007, des archéologues-plongeurs ont découvert dans le Rhône, à Arles, un buste en marbre formellement identifié comme étant celui de Jules César. Cette sculpture est l'une des deux seules représentations du puissant Romain faites de son vivant et qui soient parvenues jusqu'à nous (l'autre est exposée au musée archéologique de Turin). En plongeant notre regard dans les yeux vides de ce marbre antique, il nous semble que le dictateur romain nous adresse un dernier message... L'amertume et la préoccupation se lisent sur ce visage. Faut-il y voir les tourments de la marche vers le pouvoir ? **(Musée départemental Arles antique, presqu'île du Cirque-Romain)**

3 Le rêve de Vercingétorix

Le roi des Arvernes rêva d'unifier la Gaule contre l'occupant romain… En 52 avant notre ère, Vercingétorix s'enferma à Alésia avec 80 000 fantassins et 15 000 cavaliers. Les Romains pouvaient bien venir faire l'assaut du site, de toute la Gaule d'autres troupes rebelles étaient en marche ! 250 000 Gaulois armés s'avancèrent, mais les tribus se jalousaient, se concurrençaient, personne ne voulait obéir à un chef issu d'un autre peuple. Durant trois mois de siège, les Gaulois venus au secours d'Alésia ont hésité, tergiversé, et finalement renoncé à l'assaut général seul capable de faire reculer Jules César et ses légions. Les petites escarmouches lancées ici et là, sans plan d'ensemble, n'ébranlèrent jamais les lignes ennemies. La désunion gauloise provoqua la catastrophe : Vercingétorix dut se rendre et jeta ses armes aux pieds du vainqueur, en signe de soumission. Emmené à Rome comme un trophée de guerre, le roi arverne fut étranglé dans sa prison.

Si Alésia reste comme une blessure dans notre mémoire, le lieu exact de la confrontation reste sujet de débats farouches entre historiens. En tout cas, c'est à **Alise-Sainte-Reine, en Bourgogne**, que les archéologues du second Empire ont situé le champ de bataille qui vit s'effondrer le rêve gaulois. La fière statue d'un Vercingétorix imaginaire, élevée en 1865, nous parle encore de « nos ancêtres, les Gaulois ».

4   La gloire romaine dans les Alpes

Ce trophée d'Auguste se trouve à **La Turbie**, au-dessus de Monaco, **dans les Alpes-Maritimes**. Il regarde la Gaule et marque l'ancienne frontière avec l'Italie. Le monument célébrait la victoire remportée sur 44 tribus ligures dont la pression militaire et les exigences financières compliquaient le passage des cols alpins. Hélas, il ne reste rien ni de la statue d'Auguste ni du temple en rotonde qui l'abritait.

Ces restes nous parlent mal de la grandeur antique du monument car ces pierres ont subi tant d'agressions… Le trophée a été transformé en forteresse dès 1125. Bien plus tard, en 1705, sous Louis XIV, la forteresse de La Turbie fut minée et les restes du trophée s'en trouvèrent gravement endommagés. Le site devint alors une carrière : la population n'hésitait pas à puiser dans les ruines pour construire les demeures du village. En 1764, d'autres pierres furent utilisées pour l'érection de l'église Saint-Michel toute proche. Finalement retrouvé, admiré, respecté enfin, le trophée fut restauré au tout début du xxᵉ siècle.

5 Lyon, capitale des Gaules

Cette **place de Trion, à Lyon,** sur la colline de Fourvière, représentait le carrefour des plus importantes voies tracées par Agrippa, gouverneur des Gaules. D'ici, les voies s'échappaient dans 4 directions.

La voie du Rhin reliait Lyon au fleuve. La voie océane suivait la voie du Rhin jusqu'à Chalon-sur-Saône, puis s'en détachait pour traverser Autun, Auxerre, Sens, Paris, Amiens et continuer jusqu'à Boulogne-sur-Mer ; c'est aujourd'hui, au départ de la place, l'**avenue Barthélémy-Buyer**.

La voie de l'Atlantique passait par Clermont-Ferrand et Limoges pour rejoindre Saintes, par l'actuelle **rue de la Favorite**.

La voie de la Méditerranée suivait le Rhône par Vienne, Valence et enfin Arles, en empruntant le **chemin de Choulans**, qui devient, plus loin, notre mythique nationale 7.

6 Le sanctuaire des Trois Gaules

Les Romains divisèrent la Gaule en 3 régions : la Gaule lyonnaise (elle incluait ce qui est aujourd'hui la Champagne-Ardenne, la Picardie, le Nord-Pas-de-Calais, la Normandie et la Bretagne), la Gaule aquitaine (elle commençait aux Pyrénées et remontait jusqu'à la Loire) et enfin la Gaule Belgique (elle réunissait notamment la Lorraine actuelle et l'Alsace).

À Lyon, sur la colline de la Croix-Rousse, se dressait le sanctuaire fédéral des Trois Gaules. Et puis, il y avait les amphithéâtres : un pour les Gaulois, un autre pour les Romains. Car les uns et les autres ne se mélangeaient guère : les Gaulois habitaient sur la colline de la Croix-Rousse, les Romains résidaient sur la colline de Fourvière. Sur les pentes de la Croix-Rousse, cet amphithéâtre des Trois Gaules a été redécouvert à partir de 1956. Il est aujourd'hui intégré au jardin des Plantes... **(Rue Lucien-Sportisse, Lyon)**

... Le théâtre romain édifié sous Auguste a quant à lui été retrouvé à la fin du XIXᵉ siècle ; il se dresse, majestueux parmi d'autres vestiges, dans le **parc archéologique de Fourvière**.

7 La victoire du sanctuaire

On peut espérer que les excavations citadines, un jour, nous permettront de découvrir de nouveaux éléments du sanctuaire des Trois Gaules. Comme en 1866, quand une statuette de bronze représentant une Victoire ailée – laquelle ornait, dit-on, l'autel du sanctuaire – a été sauvée des eaux de la Saône (ci-contre, à droite). Comme en 1961, quand une couronne de laurier en bronze, qui ceignait le front d'une statue du même autel, a été retrouvée sous terre à l'angle de la rue des Fantasques et de la rue Grognard (à gauche)… Ces témoignages sont déposés au Musée gallo-romain. **(17, rue Cléberg, Lyon)**

8

Pour le sanctuaire, prencz la ruc Burdeau

Le Lyonnais Auguste Burdeau, qui fut président de la Chambre des députés en 1894, est bien oublié… Il a pourtant sa rue au bas des pentes de la Croix-Rousse. Et si cette rue Burdeau grimpe un peu, c'est qu'elle recouvre l'ancienne rampe d'accès qui montait au sanctuaire des Trois Gaules. D'ailleurs, à l'emplacement de cette rue, une construction en pierre longue de plus de 9 mètres a été découverte lors de travaux en 1827. Certains pensèrent alors qu'il s'agissait du socle de l'ancien autel du fameux sanctuaire… Mais on n'en saura pas plus ! Tout a été recouvert pour laisser place à l'agitation citadine.

De Lyon au Nord-Pas-de-Calais, par la voie océane

Démence et clémence des empereurs

Lugdunum – Lyon – profite douillettement de la faveur romaine qui en a fait la capitale des Gaules. 50 000 habitants et des maisons en pierre bâties pour l'éternité font de cette ville le cœur battant du pays. Tout a changé, mais le culte obligatoire rendu à l'empereur et la romanisation galopante ont-ils vraiment transformé les Gaulois ? Non, bien sûr. La révolte gronde. Ce n'est pourtant pas au nom d'une hypothétique liberté que s'ébrouent les Gaulois ; ils enragent contre les impôts romains ! Pressurés, écrasés, ruinés, ils ne veulent plus payer. En l'année 21 de notre ère, deux guerriers gaulois se lèvent pour galvaniser les tribus et tenter de repousser l'envahisseur. Julius Sacrovir et Julius Florus unissent leurs forces pour soulever les Gaules…

Une fois encore, la division des Gaulois va mener à la catastrophe. Trahisons, hésitations, reculades assurent la victoire romaine. Sacrovir tente une dernière bataille près d'Augustodunum, qui deviendra Autun, en Bourgogne… Acculé, le dernier chef gaulois se réfugie avec quelques fidèles dans une ferme des environs et tous décident d'en finir avec la vie, se poignardant mutuellement comme un dernier geste de protestation face au destin.

En l'an 41, Claude, nouvel empereur romain, est presque gaulois… Il est né à Lugdunum et entreprend une politique d'intégration des Gaulois dans la nation romaine. Par ailleurs, son ambition première est d'occuper la Bretagne insulaire, c'est-à-dire l'Angleterre. Pour cette conquête, il reçoit des renforts de troupes venues de Bagacum, notre Bavay, dans le département du Nord, nœud routier des voies du nord. Et l'expédition est couronnée de succès : la moitié de la grande île de Bretagne tombe bientôt sous le joug romain.

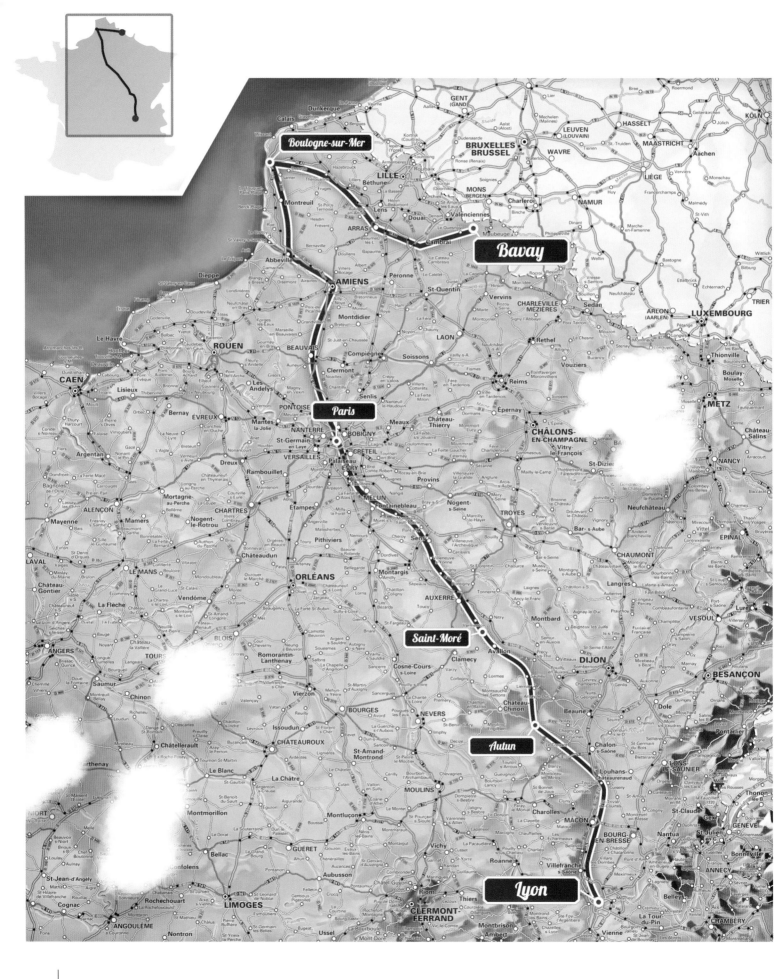

1 À Autun, les murailles de la confiance

En l'an 21, soixante treize ans après la défaite gauloise d'Alésia, c'est à Autun, en Bourgogne, que se fracassèrent les derniers rêves d'indépendance gauloise. Dans les décennies qui ont suivi, Augustodunum – la cité d'Auguste – a été développée par les Romains, qui voulurent faire de la ville le symbole local de leur puissance. Et pour marquer la confiance qu'ils accordaient désormais aux habitants vaincus, ils élevèrent de solides remparts autour de la ville. Ils restent debout, ces remparts, formant une ceinture de plus de 5 kilomètres autour de la vieille cité, et les lotissements modernes ont bien du mal à se faire une place entre les pierres surgies du passé.

2 Autun la Romaine

Soror et aemula Romae, « Sœur et émule de Rome » : telle était la devise d'Autun. Pour cette petite sœur, les Romains construisirent 4 portes monumentales qui fermaient la ville et la protégeaient. Deux d'entre elles sont parvenues jusqu'à nous.

La porte Saint-André et la porte d'Arroux conservent leurs passages voûtés, ceux destinés aux piétons, ceux empruntés par les chariots.

Promenade sur le *cardo*  **3**

La porte d'Arroux était située sur la voie océane, laquelle correspondait au *cardo* – la grande chaussée romaine – nord-sud de la cité. Son tracé est encore visible au sud d'Autun, et les constructions modernes n'ont pas oublié l'Histoire puisque le chemin arrive à la Résidence… du Cardo. **(8, rue de la Jambe-de-bois, Autun)**

4 ### Plaute à Autun

Une ville aussi romaine qu'Augustodunum se devait d'avoir un théâtre ! Construit en ce 1er siècle sur le flanc d'une colline, celui-ci pouvait accueillir 20 000 spectateurs. « Le plus grand théâtre du monde romain », disait-on avec orgueil. Il entendit résonner sur sa scène de terre et de sable les œuvres du répertoire romain… Plaute, Térence, Sénèque. Utilisé comme carrière de pierres dès le Moyen Âge, le théâtre a été restauré au début du XXe siècle, et une grande partie des gradins ont été reconstitués.

5 Les ragots d'Autun

Ces ragots-là n'ont rien à voir avec les commérages autunois ! Le ragot, en termes anciens de vènerie, désigne un sanglier mâle. Chassait-on sur ces terres ? En tout cas, ce **chemin des Ragots** suit exactement le tracé de l'antique voie océane.

6 La pyramide d'Autun

Hors des murs d'Autun, dans le hameau de **Couhard**, cette étrange construction gauloise était peut-être un monument funéraire dressé au cœur d'une vaste nécropole, soigneusement éloignée de la ville comme il était de tradition. Recouverte à l'époque de marbre blanc, cette pyramide devait avoir fière allure. Pour quel grand personnage l'a-t-on élevée ? On ne le saura jamais… Des pans entiers de l'histoire gauloise gardent leur mystère.

7 Sur la voie océane

Saint-Moré, dans l'Yonne, au large de l'A6… La route qui traverse le village suit l'ancienne voie océane, laquelle reliait Lyon à Boulogne-sur-Mer en passant par Auxerre, Sens, Paris, Beauvais, Amiens… Sur la colline de Villaucerre se dressent les vestiges du camp romain de Cora : cette muraille de pierres et de chaux s'étire sur presque 200 mètres. Elle était bordée d'un fossé creusé dans le roc et flanquée de 6 demi-tours pour assurer la défense. Le long de la voie, l'autorité romaine avait en effet prévu de tels postes de surveillance pour maintenir l'ordre et permettre aux voyageurs de circuler en toute quiétude.

Les derniers feux du phare de Caligula 8

En l'an 40, l'empereur Caligula vint visiter ses domaines gaulois. Arrivé à Portus Itius, l'actuelle Boulogne-sur-Mer, il se mit en tête d'envahir la grande île de Bretagne (l'Angleterre). Mais les légionnaires rechignèrent : ils n'étaient pas prêts pour cette expédition ! Peu contrariant, Caligula renonça à son grand projet et se trouva aussitôt d'autres ennemis : les coquillages disséminés sur la plage ! Sur ordre, les soldats se lancèrent à l'assaut des mollusques et en firent une jolie moisson. « Ces dépouilles de l'océan seront l'ornement de notre triomphe ! » s'exclama avec emphase l'empereur.

Afin que les générations à venir n'oublient jamais cette victoire remportée sur des troupes de gastéropodes, Caligula fit dresser, face à l'île de Bretagne, un phare haut, puissant, lumineux. De cette tour il ne reste rien : elle s'effondra avec une partie de la falaise le 29 juillet 1644. Pour rêver, un nom a subsisté près de l'endroit où se dressait le monument : le plateau de la tour d'Odre. Cette « tour d'Odre », c'était le phare de Caligula, ainsi appelé par dénaturation des termes latins *ardens turris*, la tour ardente…

Le plaidoyer de Claude en faveur des Gaulois 9

L'empereur Claude était bègue. Pourtant, il puisa en lui la force nécessaire pour tenir, devant le Sénat romain, un brillant discours afin d'obtenir pour les Gaulois le droit d'accéder à de hauts postes publiques à Rome. La Table claudienne reproduit le véhément plaidoyer prononcé par l'empereur. Cette plaque de bronze gravée de plus de 225 kilos fut exposée sur les murs du sanctuaire des Trois Gaules pour célébrer dignement la concorde entre Romains et Gaulois. Deux fragments de cette Table, retrouvés à la Croix-Rousse au xvie siècle, sont exposés au Musée gallo-romain. **(17, rue Cléberg, Lyon)**

10 À Lyon, une fontaine pour Claude

Cette fontaine en calcaire, découverte en 1983 dans le jardin des religieuses du Verbe incarné, à Fourvière, fut un hommage rendu en ce 1er siècle aux conquêtes de l'empereur en Angleterre. Elle a depuis été posée sur la **place lyonnaise du Trion**, d'où irradiaient les plus importantes voies romaines.

11 À Bavay, dans les pas des Romains

Bagacum, notre Bavay, dans le département du Nord, fut d'abord la ville du peuple gaulois des Nerviens. Tout devait changer avec l'arrivée des Romains ! Ceux-ci comprirent immédiatement l'intérêt stratégique de la cité située au carrefour des routes. Bagacum devint donc un centre très couru et de nombreux Romains vinrent s'y installer. Au fil des années, la cité se transforma en capitale romaine. Alors s'éleva tout ce qui paraissait nécessaire à l'existence : un temple pour rendre un culte à l'empereur et aux divinités, un forum, une esplanade bordée de galeries pour faire ses emplettes, et l'indispensable aqueduc pour apporter l'eau à la fontaine et aux bains publics. Il faisait bon vivre à Bagacum !

12 Les chaussées de Bavay

Bavay a été appelée « la ville aux sept chaussées ». En effet, de là partaient 7 routes qui se dirigeaient dans toutes les directions. Que nous en reste-t-il ? Des routes modernes qui inscrivent leur tracé dans le tracé antique. Le plus bel exemple nous est donné par cette départementale 932 : de Bavay, elle se dirige tout droit vers Riqueval, dans l'Aisne. Tout droit, c'est le cas de le dire ! En effet, elle suit si parfaitement l'exemple romain qu'elle offre aux automobilistes une ligne droite de 54 kilomètres. Ces voies étaient des voies commerciales pour les Romains, certes, mais aussi des voies militaires… C'est à Bavay que se préparaient les grandes expéditions vers le nord et vers l'est ; c'est de Bavay que partirent les expéditions en Angleterre ou au pays des Germains.

STRASBOURG

BAVAY

STRASBOURG

LEG·XX

SPQR

Du Nord-Pas-de-Calais à Strasbourg, par les voies secondaires

La Pax romana

Bagacum, notre Bavay dans le Nord-Pas-de-Calais, est devenu une ville romaine importante, cité à la mode et nœud routier des voies stratégiques de la région.

En cette année 121, Bagacum se fait pour un instant le centre vivant de l'Empire romain : Hadrien descend le forum ! L'empereur ne fait que passer : il revient d'une tournée dans les confins de la Germanie et se dirige vers la grande île de Bretagne. Il voyage beaucoup, Hadrien, mais il aimerait bien ne pas avoir à faire la guerre. Pour défendre les frontières de l'empire, et pour les fixer, il a l'idée insolite de tracer une interminable ligne fortifiée : un fossé parfois surmonté d'une palissade ou d'une muraille de pierres ; ce sera le limes *(prononcez limesse).*

Dans la grande île de Bretagne, en partie conquise, le mur va séparer les Britanniques romanisés du sud des tribus celtiques du nord. Du côté nord-est de la Gaule, le danger est différent : les appétits des Germains, bien au-delà du Rhin, inquiètent les Romains. Un autre mur est donc construit de ce côté-là.

Les légions romaines vont d'un mur à l'autre… Elles passent par Durocortorum, plus tard Reims en Champagne-Ardenne, poursuivent en se dirigeant vers Divodurum, c'est-à-dire Metz, et elles arrivent à Argentoratum – notre Strasbourg… Il est vrai que ce camp fortifié n'est pas directement sur le limes, *mais plutôt en retrait, solide poste arrière dont les 6000 légionnaires sont prêts à bondir sur la frontière en cas de besoin.*

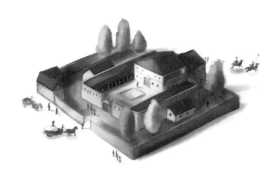

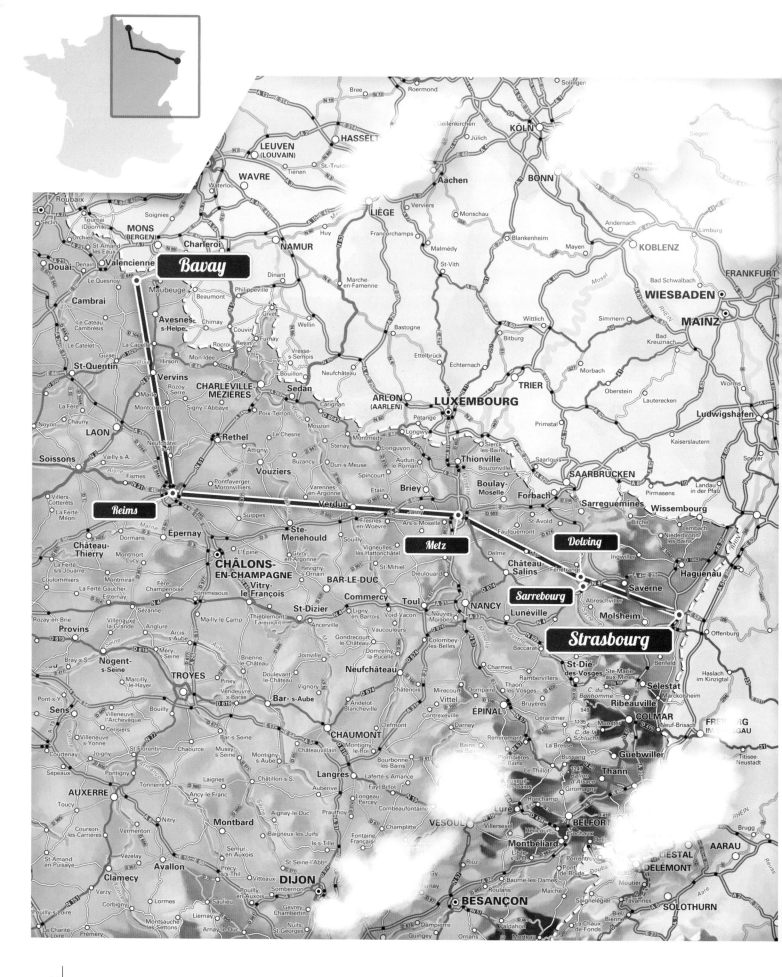

1 La porte de Durocortorum

La porte de Mars à Reims, date de la fin du IIe siècle. Elle est une rescapée des 4 portes monumentales de Durocortorum, la cité gallo-romaine. 33 mètres de long sur 13 mètres de haut : voici l'arc romain le plus vaste de tous ceux que l'on connaît ! Évidemment, le temps a été cruel pour le monument : la pollution et les siècles ont rongé la pierre. Pourtant, on trouve encore des traces émouvantes d'une splendeur passée : un buste du dieu Mercure, quelques génies ravagés mais encore charmants, et enfin la préférée de tous, une somptueuse allégorie aquatique sous les formes généreuses d'une figure féminine.

2 La porte de l'empereur

En grec ancien, le mot *basileus* signifiait « roi », et ce terme désignait aussi les empereurs romains. À Reims, la porte Bazée était donc la porte de l'empereur. Hélas, les vestiges de cette porte ne sont qu'un souvenir… La dernière arcade a été abattue en 1751, quand il fallut faire un peu de place pour permettre le passage de l'alimentation en eau potable… Les bas-reliefs sculptés à cette époque, comme un remords de pierre, évoquent l'activité de l'antique Durocortorum. **(35, rue de l'Université, Reims)**

3 La splendeur du cryptoportique

Franchement, qui a eu l'idée d'affubler ces ruines splendides d'un nom aussi repoussant ? Cryptoportique ! Ce terme abscons vient du latin *cryptoporticus* et désigne simplement une galerie. À Reims, cette galerie a été mise au jour en 1922 et restaurée seulement soixante ans plus tard, en 1982. C'est là que la riche Durocortorum stockait vins, huiles et grains qui alimentaient la population. **(Place du Forum, Reims)**

4 Les sources de Metz

Ces arches d'un aqueduc romain du IIe siècle se trouvent à **Jouy-aux-Arches** (ci-dessous) et à **Ars-sur-Moselle** (ci-contre), de part et d'autre de la Moselle. Cette construction, apportait à Metz l'eau des sources de Gorze.

Ces eaux alimentaient notamment les thermes, encore visibles dans le musée de la Cour d'Or...
(2, rue du Haut-Poirier, Metz)

5 ### Sur la route de Strasbourg

En ce IIe siècle, une vaste villa s'élevait non loin de la route qui reliait Metz à Strasbourg, à la fois halte pour les voyageurs et domaine agricole.

Les fouilles archéologiques, entreprises dès 1894 et prolongées dans la seconde moitié du XXe siècle, ont permis de découvrir les vestiges de plusieurs cours, galeries, caves, thermes et canalisations de chauffage… En tout, plus de 30 bâtiments et un petit temple composaient cet ensemble. **(Villa gallo-romaine de Saint-Ulrich, à Dolving, à 5 km au nord-est de Sarrebourg)**

6 ### Le mobilier de Saint-Ulrich

Objets de la vie quotidienne, instruments agricoles et artisanaux… Tout ce qui composait l'existence gallo-romaine sur le site de Saint-Ulrich a été déposé au musée du Pays de Sarrebourg. **(Rue de la Paix, Sarrebourg)**

7 L'ancien égout

L'installation de 6 000 légionnaires dans le camp militaire d'Argentoratum créa l'embryon d'une ville, car il n'y avait pas que les soldats ! Eh oui, tout un personnel civil arriva pour s'occuper des cuisines, de l'entretien des armes, de l'infirmerie… Cette place forte posée sur la frontière allait devenir **Strasbourg**.

Le camp romain a disparu depuis longtemps. Mais on peut encore en évoquer les contours… La porte Prétorienne constituait l'entrée principale du camp militaire ; ici aboutissait la route venant de Metz. La porte n'existe plus, mais on peut la situer à **l'angle de la rue des Hallebardes et de la ruelle du Fossé-des-Tailleurs** (à gauche)… D'ailleurs, cette ruelle (à droite) étrangement creusée est, en fait, un ancien fossé entourant la ville romaine. À quoi servait-il ? Tout simplement d'égout à ciel ouvert !

8 Les remparts dans les caves

Rue du Vieil-Hôpital, à Strasbourg (ci-contre). La présence romaine est toujours prégnante, même si elle se cache. En effet, les caves de ces maisons s'appuient sur les remparts romains.

Au sud et à l'est, l'enceinte romaine suivait le cours de l'Ill. La rue des Veaux et le quai Lezay-Marnésia ont été tracés sur son emplacement. Le rempart n'a pas entièrement disparu : un pan solide en a été retrouvé à **l'angle de la rue du Dôme et de la rue des Étudiants** (ci-dessous).

9 Le grenier des fortifications

Au nord-est de Strasbourg, les fortifications romaines ont été englobées dans les fondations du Grenier d'abondance, cette splendide bâtisse médiévale. **(Place du Petit-Broglie)**
Juste à côté, une crypte aménagée dans les jardins de l'hôtel de la Préfecture permet de contempler à la fois les remparts du IIe siècle et ceux du IVe siècle (ci-contre).

Au centre d'Argentoratum

La rue des Hallebardes et une partie de la rue des Juifs furent, aux temps romains, le *decumanus maximus*, le grand axe est-ouest. La rue du Dôme, elle, a été construite sur l'ancien *cardo maximus*, l'axe nord-sud. Ainsi, au **croisement de la rue des Hallebardes et de la rue du Dôme** se situe l'exact centre d'Argentoratum... et c'est encore le centre vivant du commerce de luxe à Strasbourg.

11 La tour du Simply

Cette tour romaine miraculeusement parvenue jusqu'à nous se cache aujourd'hui... dans les sous-sols d'un supermarché ! Elle date du Bas-Empire, c'est-à-dire entre le IIIe et le Ve siècle. **(47, rue des Grandes-Arcades)**

De Strasbourg à Vienne, en Isère, par la voie du Rhin, boulevard des Barbares
La peur derrière les murailles

Il s'appelle Sévère Alexandre, et il est empereur de Rome. En ce mois de mars 235, il arrive à Strasbourg, plus exactement au camp d'Argentoratum… Il vient contrer les Alamans de la Forêt-Noire qui menacent les frontières. Mais Sévère Alexandre ne veut pas faire la guerre, il souhaite simplement acheter la paix. Les légionnaires sont abasourdis : que serait le monde si l'on ne pouvait plus guerroyer, et piller ?

D'un coup de glaive dans le ventre, Sévère Alexandre est assassiné par Maximin, qui devient empereur à la place de l'empereur. Mais les Alamans arrivent, investissent Argentoratum… Maximin surgit avec ses légions et repousse les Barbares au-delà du Rhin.

Le calme va régner durant presque vingt ans, puis les invasions barbares reprennent. Les Germains déferlent sur la Gaule, laissant derrière eux une traînée de ruines fumantes… Ces conquérants se désignent par un terme germanique, Franken, qui signifie peut-être « les Indomptables »… Et nous en ferons les Francs, qui vont si profondément changer l'histoire de l'Hexagone.

En descendant au sud, nous arrivons à Vienne, au bord du Rhône, ville relativement épargnée par les destructions. C'est donc à partir d'ici que Dioclétien va remettre un peu d'ordre dans le pays ravagé. Nommé empereur en 284, il envoie en Gaule une armée avec mission de rétablir l'autorité romaine. La Gaule est alors découpée en deux : au nord, le diocèse des Gaules, avec Trèves, en Allemagne, pour chef-lieu ; au sud, le diocèse de Vienne. Le nord est organisé de manière à contenir les Germains ; quant au sud, promis à devenir purement romain, il peut se développer sereinement…

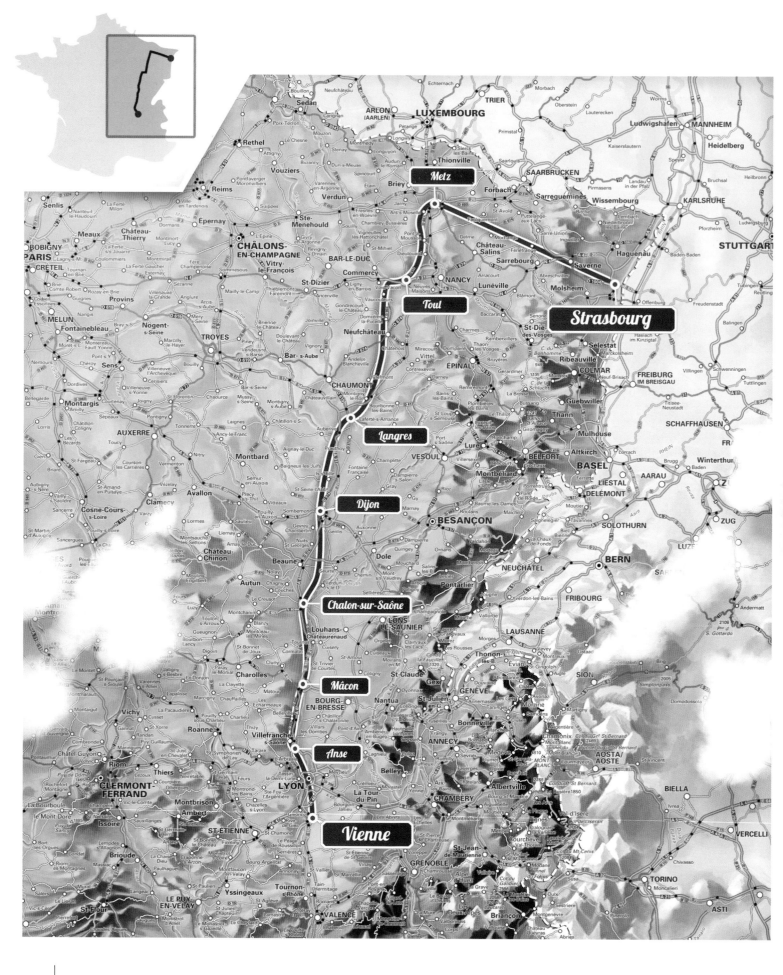

Les remparts gaulois de Toul **1**

En 1700, lorsque Vauban vint imposer à Toul son système de défense, les ultimes vestiges des murailles antiques furent jetés à bas. Mais une petite portion des vieux remparts échappa à la fureur destructrice de l'architecte militaire de Louis XIV. Ces pierres dégradées des remparts de Toul **(passage B, près de la place des Trois-Évêchés)** sont les dernières ruines de l'enceinte dressée pour contenir les invasions barbares. En effet, pour se protéger des troupes venues de l'est, une seule chose paraissait efficace : se terrer derrière des remparts ! Ces constructions défensives modifièrent le visage des cités gauloises qui se trouvaient désormais limitées dans leur extension. Comme Tullum, les cités majeures de la Gaule du Nord n'étaient désormais que de petits bourgs apeurés et diminués, observant avec angoisse la route venue du Rhin…

La porte aveugle de Langres

Cette porte romaine aux deux arches murées paraît tristement aveugle… Voici le dernier vestige des remparts antiques de Langres, en Champagne-Ardenne. En fait, la porte est bien plus ancienne que les invasions barbares, puisqu'elle remonterait à quelques années avant notre ère. Mais au IIIe siècle, elle a été incluse dans l'enceinte élevée pour protéger la ville des incursions venues de l'est. La ville-promontoire paraissait si inviolable qu'on l'appellerait plus tard « la pucelle du pays »… ce qui ne l'a pas empêchée de subir les razzias et les pillages de ce siècle.

À Dijon, dites 33 **3**

Divio, notre Dijon, se protégea derrière une muraille renforcée de 33 tours dont une a été sauvée de la destruction parce qu'elle a été transformée en chapelle au Moyen Âge. Ce Petit-Saint-Bénigne – c'est sous ce nom que la tour est entrée dans l'Histoire – a été bâti en petits moellons, simples mais élégants. L'intérieur, qui servit donc de chapelle pendant plusieurs siècles, est accessible au moyen d'un escalier tournant de 18 marches. Sur l'un des murs se trouve encore un autel médiéval gravé d'une croix. **(11 et 15, rue Charrue, Dijon)**

4   À Chalon, la tour de la muraille

Cette tour de Saudon a sans doute été remaniée plusieurs fois au cours des siècles. Mais à l'origine, c'était une tour de la muraille qui protégeait Cavillonum, notre **Chalon-sur-Saône**. L'enceinte du Bas-Empire est encore visible le long du **boulevard Edgar-Quinet**.

5   Le bailli de Mâcon

À Mâcon, la maison du Bailli date du XVIIe siècle, mais elle s'appuie sur une tour qui fut un des éléments de l'enceinte gallo-romaine. **(3, rue du Paradis, Mâcon)**

6   Le castrum d'Anse

On dit que tous les habitants d'Anse venaient se réfugier dans ce castrum en cas de danger. Sa forme hexagonale, ses murs épais emplis de graviers, de chaux et de briques écrasées, sa lourde porte de bois paraissaient suffisants pour se protéger des Barbares. **(6, place des Frères-Fournet, Anse)**

Les tours du mont Salomon

Près de Vienne, en Isère, sur le mont Salomon, l'une des 5 collines de la ville, ces tours solides et romantiques avaient pour fonction de protéger les bords du Rhône. Depuis mille huit cents ans, elles n'ont cessé de veiller sur l'horizon.

La dernière enceinte de Vienne

Ces pierres affreusement insérées dans une construction désespérément moderne sont les ultimes traces de l'enceinte romaine de Vienne. C'est là que devaient venir se fracasser les Barbares partis à la conquête de la Gaule. **(15, cours Brillier, Vienne)**

TOURS

TOURS

VIENNE

De Vienne à Tours, par la Loire, la voie médiane

Le triomphe du christianisme

À Vienne, un tribun militaire nommé Ferréol se fait connaître par une manie étrange : c'est un adepte du Christ ! On le décapite, histoire de lui apprendre où se trouve la vérité. Cette aventure laisse les Viennois des bords du Rhône parfaitement indifférents : ils vivent tranquillement à la romaine et rendent un culte appuyé à l'empereur de Rome. Mais le monde change. En 313, l'empereur Constantin établit la paix religieuse. Désormais, les chrétiens ne seront plus persécutés.

Il est temps, pour nous, de quitter Vienne et de remonter vers la Loire pour arriver à Forum Segusiavorum, aujourd'hui Feurs, en région Rhône-Alpes. En partant d'ici, de légères embarcations naviguent pour s'arrêter au port de Rodumna, notre Roanne, en Rhône-Alpes. De là, un autre bateau nous emporte… Voici Caesarodunum, la colline de César, autrement dit Tours, préfecture de l'Indre-et-Loire.

En 371, un événement bouleverse la ville : Martin en devient l'évêque. Celui-ci se consacre d'abord discrètement et modestement à son apostolat, mais neuf ans plus tard, sa piété prend une autre tournure… Le 28 février 380, l'empereur Gratien fait du catholicisme la religion officielle de l'empire. Alors, Martin, si discret jusque-là, fait méthodiquement briser les idoles, détruire les temples païens et abattre les arbres sacrés des druides…

Le siècle s'achève avec la mort de Martin, en 397. Sur sa tombe, une basilique va bientôt s'élever. La Gaule chrétienne a trouvé son saint protecteur.

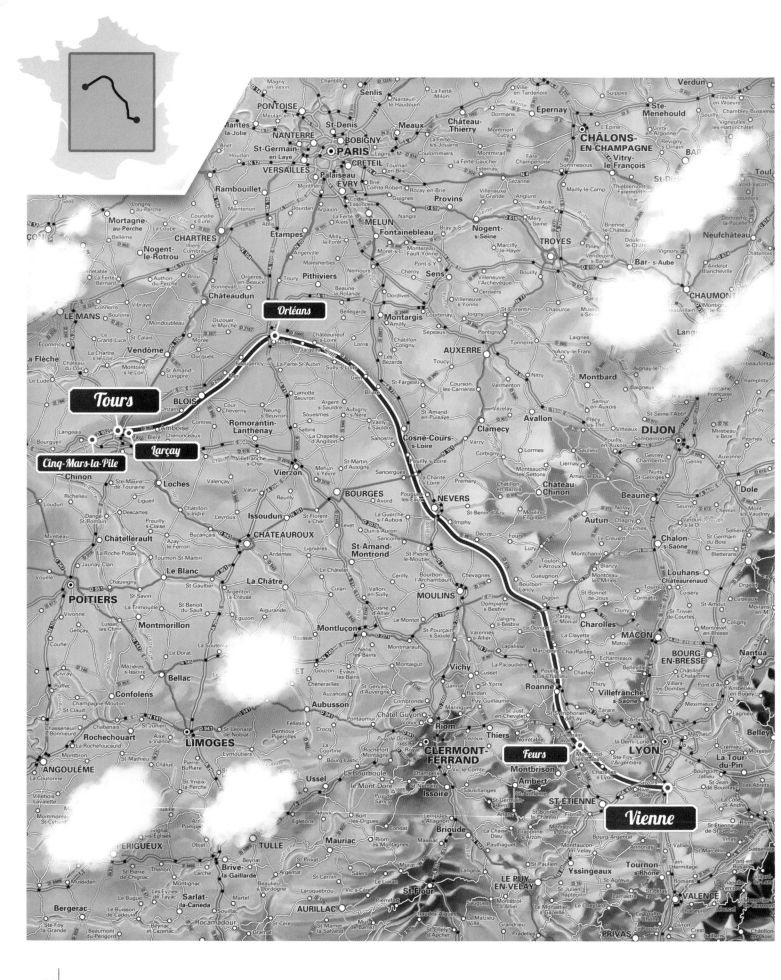

1 Le divertissement des Gallo-Romains

Le théâtre romain de Vienne comprend 46 rangées de gradins qui grimpent sur la colline de Pipet et surplombent le Rhône. Même au temps des invasions barbares, il était urgent de se distraire ! Ce théâtre, qui pouvait accueillir 11 000 spectateurs, a connu une vie nouvelle… dix-sept siècles plus tard. En effet, en 1938, Albert Lebrun, président de la République, inaugurait ce site mis au jour seize ans plus tôt. Jazz, musique classique, variétés ou danses sont au programme de ce lieu consacré à l'art depuis si longtemps. **(7, rue du Cirque, Vienne)**

2 Le portique du forum

Jadis, ces arcades marquaient une entrée du forum. Les romantiques du XIXe siècle ont pleuré devant ces ruines grandioses qui évoquent encore toute la force, la beauté et la grandeur de Rome ! Elles ont subi des attaques, ces vieilles pierres, et pourtant elles demeurent fières et majestueuses. **(Jardin de Cybèle, square Vassy, Vienne)**

3 À Vienne, le quartier chic des Romains

Pour ne pas se mélanger avec la plèbe, les Romains fortunés de la Gaule choisissaient de vivre à Vienne sur la rive droite du Rhône, à l'emplacement de Saint-Romain-en-Gal, quartier chic où l'on restait entre soi. Finalement, le beau quartier a été ravagé à la fin du IIIᵉ siècle par les incursions des Barbares. Ravagé et abandonné… car les habitants, fuyant ailleurs, ont laissé le site dans l'état qui est le sien aujourd'hui. Il a suffi de fouiller un peu, à partir de 1967 pour retrouver tout ce qui faisait le bonheur des riches Romains : les thermes, les ateliers, les habitations, les boutiques et les entrepôts. **(Musée gallo-romain de Saint-Romain-en-Gal/Vienne, route départementale 502)**

5 **Le forum oublié**

Sur notre route, nous avons croisé **Feurs**, en région Rhône-Alpes, l'ancien Forum Segusiavorum, le forum des Ségusiaves, car cette tribu gauloise en avait fait sa capitale. Au IIe siècle, cette ville comportait 8 000 habitants… comme aujourd'hui ! Mais les invasions barbares ont vite réduit l'agglomération, qui allait devoir attendre longtemps avant de retrouver un peu de lustre. Heureusement, quelques vestiges de l'ancien forum, rescapés d'une longue histoire, sont encore visibles. **(Place de la Boaterie)**

4 **La pyramide des chars**

On l'a appelé « l'aiguille », on l'appelle « la pyramide », mais c'est un pivot, un axe de 25 mètres de haut avec son socle. Lors des courses, les chars tournaient autour de ce repère blanc, et si la longue piste de sable a disparu depuis longtemps, ce monument évoque encore les spectacles qui ravissaient tant les habitants de Vienne, ville romaine. **(À l'extrémité du boulevard Fernand-Point, Vienne)**

6 **À Tours, le souvenir du vieux pont**

Le pont tourangeau sur la Loire des époques situées avant les invasions barbares se trouvait à l'emplacement de l'actuel pont Wilson, dont les quinze arches furent construites dès 1765. Au IVe siècle, ce premier pont fut jugé trop éloigné de la nouvelle enceinte défensive et le lieu abandonné durant plus de mille ans.

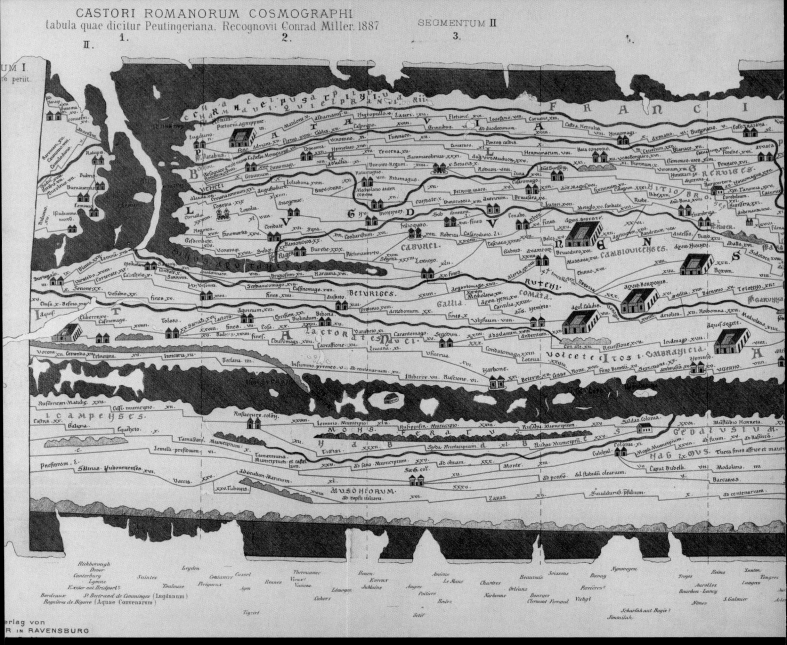

7 | La carte romaine

La Table de Peutinger, parce qu'elle fut détenue par l'humaniste allemand Conrad Peutinger, est une copie médiévale d'une carte romaine établie au IVe siècle. Elle est aujourd'hui déposée à la Bibliothèque nationale de Vienne, en Autriche. Que représente ce rouleau de parchemin long de presque 7 mètres ? C'est, en fait, un véritable atlas des routes et des villes de l'Empire romain. Muni de ce document, un peu encombrant, le voyageur pouvait partir de découverte en découverte. Les grandes villes sont signalées par un logo particulier : 2 tours à toit pointu. Quant aux stations thermales, tellement importantes dans le tourisme romain, elles sont symbolisées par un bâtiment massif agrémenté d'un bassin central.

C'est par cette Table que l'on connaît aussi bien les itinéraires romains en Gaule, même si la nomenclature commet quelques erreurs géographiques et étale au fil des feuillets une étrange déformation tout en longueur de l'Hexagone. N'empêche, le parchemin permet de suivre le tracé gaulois de près de 80 routes et de repérer de nombreux sites qui attiraient le routard d'antan.

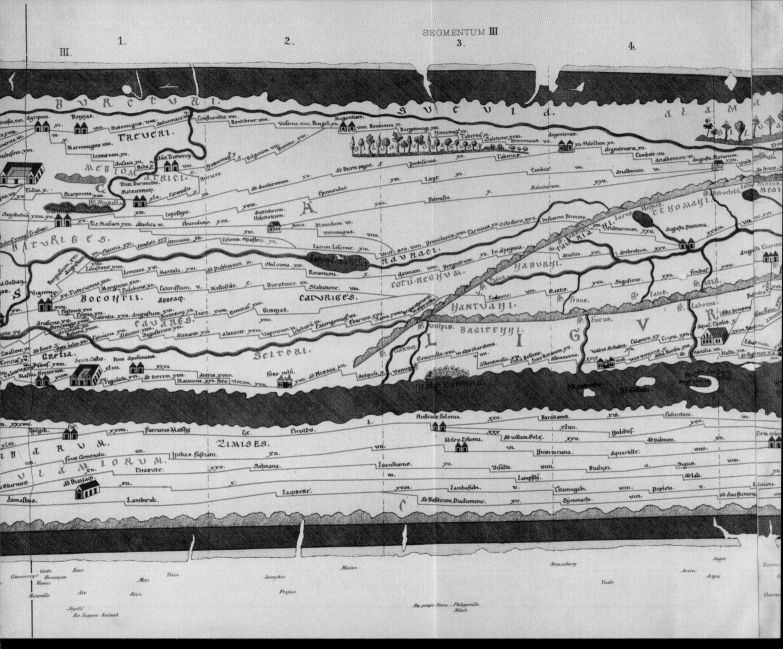

8 À la recherche des murailles tourangelles

Quand l'esprit cherche, l'œil suit… Alors, c'est l'Histoire que l'on touche, et il semble que la rumeur angoissée des défenseurs de Tours monte vers nous. La muraille orientale peut s'apercevoir à hauteur du **11, rue Blanqui** (ci-contre). Le mur sud, quant à lui, est visible au niveau de la **rue du Petit-Cupidon** (ci-dessous). L'arrondi qui le jouxte n'est autre que le vestige de l'amphithéâtre démantelé et incorporé dans cette nouvelle enceinte pour se défendre des invasions.

9 La tour de Tours

Le palais des Archevêques de Tours (musée des Beaux-Arts depuis 1910) fut construit à partir du XVIIe siècle dans sa forme actuelle. Il nous concerne car il a été bâti sur les fondations de l'enceinte gallo-romaine, dont il a conservé la tour d'angle. **(18, place François-Sicard, Tours)**. À quelques mètres, à la base de la tour nord de la cathédrale, on distingue encore le tracé de la muraille.

Enfin, rendez-vous au château, au niveau du logis des gouverneurs, où l'appareillage du rempart romain est nettement visible… puisqu'il sert de base aux fondations !

10 Un fort romain pour surveiller la route

Cette lourde bâtisse flanquée de plusieurs tours reste sans doute le fort romain le mieux conservé du nord de la Gaule. Il se trouve à **Larçay**, à 10 kilomètres du centre de Tours. Sur cette position stratégique fut construit, à la fin du ɪɪɪᵉ siècle, ce castellum, petit fortin situé à l'intersection de deux voies romaines.

11 L'été de la Saint-Martin

Début novembre 397, Martin quitta Tours pour se rendre à Candes, au bord de la Loire, pour une tournée épiscopale. C'est là que la mort vint faucher le vieillard. Les habitants de Tours, où Martin avait été évêque, et ceux de Ligugé, où il s'était jadis retiré, revendiquèrent chacun le corps du saint homme.
Les Tourangeaux n'allaient pas se laisser dépouiller… Ils enlevèrent le défunt et le chargèrent sur un bateau en partance pour Tours. Sur le passage de l'embarcation, les fleurs se sont ouvertes, les arbres ont reverdi, les oiseaux ont chanté… En plein novembre, c'était l'été de la Saint-Martin !
Les bateliers venus de Tours qui ont emporté le corps de saint Martin se sont sans doute repérés grâce à cette tour de 30 mètres de haut située sur la Loire entre Candes et Tours, à **Cinq-Mars-la-Pile**. Il s'agit d'une « pile » gallo-romaine, c'est-à-dire un monument funéraire qui voulait honorer une personnalité dont on ne sait plus rien et qui, pour nous, évoque le dernier voyage du saint vers son dernier repos, à Tours.

TOURS
La fuite d'Attila

FRANCS

HUNS

ROMAINS

WISIGOTHS

De Tours à Reims,
par les chemins brûlés d'Attila

Quand Rome renaît à Reims

Saint Martin n'est plus, mais Tours s'attache pieusement à entretenir son culte. D'ailleurs, la ville est épargnée par les nouvelles invasions barbares. Ce n'est pas le cas de toutes les cités des bords de Loire. En l'an 410, Francs et Bretons s'affrontent le long du fleuve. Les Romains ne bougent pas, ils ont tellement d'autres préoccupations ! L'Empire, qui avait si longtemps dominé une partie du monde, a été scindé en deux : d'un côté, l'empire romain d'Occident, avec Ravenne pour capitale ; de l'autre, l'Empire romain d'Orient, groupé autour de Constantinople.

En 451, surgi des steppes d'Asie, Attila, à la tête des Huns, progresse à l'intérieur de la Gaule… Là où passe Attila, l'herbe ne repousse pas, dit-on. Dans cette débandade, un seul homme garde la tête froide : Ætius. Ce général romain parvient à unir tous les peuples de la Gaule contre l'ennemi commun.

Attila vient faire le siège d'Orléans, mais des armées surgissent, et les Huns prennent la fuite. Après quelques jours de galop à travers les plaines de Champagne, ils sont rattrapés par les alliés et c'est le grand choc. Ils sont tous là : les soldats romains, les Francs, les Alains, les Wisigoths. Attila est vaincu.

Cette victoire acquise, Childéric, le chef franc, se retire dans son petit royaume autour de Tournai, en Belgique actuelle… Quinze ans plus tard, son fils Clovis épouse Clotilde, princesse catholique, et le jeune roi accepte finalement le baptême, subtile stratégie destinée à séduire les chrétiens de la Gaule. Le 25 décembre 499, à Reims, le catéchumène s'immerge dans l'eau glacée tandis que retentissent ces cris de joie :

– Alléluia ! Hosanna !

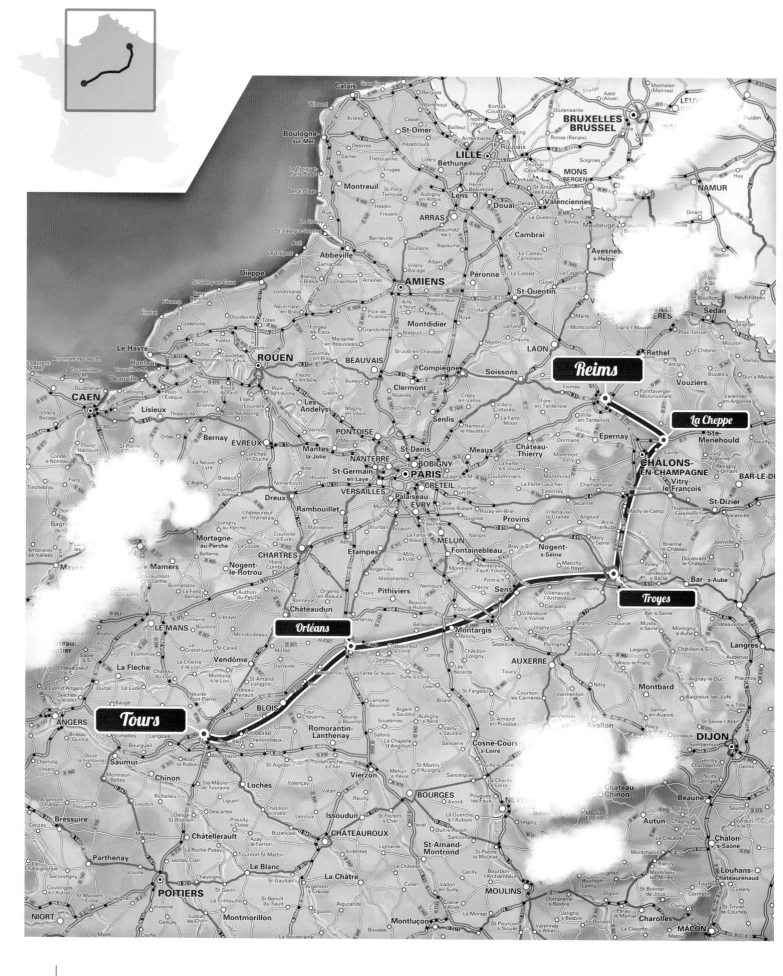

1 La retraite de saint Martin...

Au sein de l'abbaye de Marmoutier, à Tours, voici les vestiges de l'église gothique. Dans ce petit coin creusé dans la falaise, saint Martin venait, dit-on, chercher en ermite le repos du corps et la béatitude de l'âme. **(60, rue Saint-Gatien, Tours)**

2 ... et la grandeur du saint

En ce lieu béni naguère par l'esprit de saint Martin converge bientôt toute la foi de la chrétienté. *Majus Monasterium...* « Le plus grand monastère », dit-on alors. Et de ces deux termes latins, le parler populaire, distordant les syllabes, fera Marmoutier. L'abbaye de Marmoutier connaîtra de grandes heures et de sombres périodes. À moitié détruite par les Vikings, saccagée par les protestants, elle fut transformée en hôpital militaire, puis restaurée par l'ordre du Sacré-Cœur de Jésus, dont les dernières sœurs ont quitté les lieux en 2001. Ces portes et ces tours circulaires de l'enceinte ont été élevées entre les XIIIe et XVIIIe siècles.

4 Le portail de la Crosse

Le portail de la Crosse, dont le nom fait évidemment allusion au bâton pastoral, marque de la puissance de l'évêque, a été bâti au XIIIe siècle. Malgré son apparat et sa solidité, il n'était pas l'entrée principale de l'abbaye de Marmoutier, mais, parvenu intact jusqu'à nous, il en demeure l'un des éléments les plus parlants.

3 Les grottes de la foi

Dans les profondeurs de l'abbaye de Marmoutier, des grottes recèlent de bien pieux témoignages : un autel, une fontaine, un baptistère... Et l'on retrouve brusquement un temps où la foi se vivait parfois dans le silence et le recueillement.

Les murailles de Barbe-Bleue

5

On le connaît, ce conte de Charles Perrault, *La Barbe bleue* ; on se souvient de cette interrogation angoissée de l'épouse qui attend ses frères venus la délivrer de son terrible époux :
– Anne, ma sœur Anne, ne vois-tu rien venir ?
Eh bien, cette réplique promise à un si grand succès a été prononcée avec quelques variantes par les habitants d'Orléans qui attendaient la survenue des armées capables de repousser les Huns d'Attila.
– Agne, mon frère Agne, ne vois-tu rien venir ? demandaient les habitants à leur évêque grimpé sur la muraille.
Agne, diminutif d'Aignan, deviendrait Anne dans le conte...
Des murailles sur lesquelles guettait saint Aignan on trouve encore ces traces à Orléans… Ce mur aménagé et réaménagé à toutes les époques a subi à la fois les outrages du temps et ceux d'Attila. **(Face au 22, rue de la Tour-Neuve, Orléans)**

6

Orléans, la Tour blanche

Cette construction, dite « Tour blanche », est une ancienne tour romaine qui veillait sur le flanc est d'Aurelianum, la ville de l'empereur Aurélien. Elle a tout connu des soubresauts de ce qui allait devenir Orléans : les invasions barbares, puis Jeanne d'Arc, les transformations imposées par la Renaissance et enfin l'extension des murailles, à la fin du xve siècle, qui lui retira son utilité militaire. Dès lors, elle servit d'habitation, et des fenêtres pacifiques ont remplacé les meurtrières. **(13 *bis*, rue de la Tour-Neuve)**

7 La muraille dans la cathédrale

En creusant, en observant, on retrouve des morceaux de muraille en de nombreux sites orléanais. Devant le transept nord de la cathédrale Sainte-Croix, une vingtaine de mètres de muraille et la base d'une tour ont été habilement dégagés et mis en valeur.

8 Le camp d'Attila

Certes, on ne sait pas où s'est déroulée la grande bataille des forces coalisées qui a repoussé Attila et ses Huns. Pourtant, **à 18 kilomètres de Châlons-en-Champagne, près du village de La Cheppe, le long de la départementale 994**, voici le lieu dit Le Camp d'Attila. Est-ce ici qu'a eu lieu la grande confrontation ?
La légende l'assure. Aujourd'hui, la végétation a repris ses droits, mais il nous reste ce rempart de terre haut de 7 mètres, dernière trace d'un oppidum gaulois réaménagé par les Romains.

9   À Reims, le baptistère de Clovis

Quelques marches, un tuyau de plomb d'adduction d'eau, et surtout une cuve ornée jadis de mosaïques bleues et vertes… voici le baptistère dans lequel, pense-t-on, Clovis a été baptisé à Reims le jour de Noël 499. Ce vestige a été retrouvé en 1995 à 4 mètres de profondeur, au niveau de la cinquième travée de la cathédrale rémoise.

Les ruines ont permis de restituer le plan du baptistère : le bassin était situé au centre d'une rotonde d'environ 10 mètres de diamètre et flanquée de 4 niches. En fait, avant de servir à baptiser les nouveaux chrétiens, ce bassin, alors en plein air, faisait partie des thermes romains.

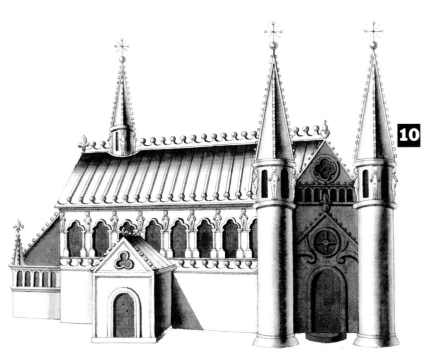

10 La cathédrale mérovingienne

À Reims, pas très loin du baptistère de Clovis, les fondations du chevet de la cathédrale mérovingienne sont aussi parfaitement visibles sous le maître-autel… Le chevet ? C'est-à-dire l'extrémité du chœur de l'édifice, ainsi appelé parce que, selon le plan en croix de l'église, c'est à cet endroit que se tenait la tête du Christ.

De Reims à Saint-Denis, par le chemin des pèlerinages

La guerre fratricide des Mérovingiens

En devenant chrétien, Clovis est persuadé que son Dieu nouveau lui accordera le triomphe des armes. Alors, sûr de lui et du Ciel, il fait la guerre à outrance et dans toutes les directions pour étendre son petit royaume. Ainsi, il parvient quasiment à réunifier la Gaule, mais il meurt brusquement au mois de septembre 511, à l'âge de 45 ans.

Thierry, Clodomir, Clotaire, Childebert, ses fils, n'ont rien de plus pressé que de se partager la succession. Finalement, la mort de tous ses frères permet à Clotaire de devenir le seul roi du pays. Quand il disparaît, en 561, trois de ses fils prennent le pouvoir : Sigebert en Austrasie, à l'est, du côté de Metz, Chilpéric en Neustrie, à l'ouest, autour de Soissons, et Gontran en Bourgogne. Les fâcheries familiales vont venir encore embrouiller la situation.

Essayons de suivre l'affaire… Sigebert a convolé avec la princesse Brunehaut, fille du roi des Wisigoths d'Hispanie, et Chilpéric a choisi pour reine la sœur de sa belle-sœur, Galswinthe. Mais Chilpéric a une maîtresse jalouse, la belle Frédégonde, qui fait assassiner l'épouse légitime. La sœur de la victime, Brunehaut, reine d'Austrasie, ne veut pas laisser le crime impuni… C'est la guerre entre l'Austrasie et la Neustrie ! Et les deux frères s'entretuent.

En 584, Gontran, dernier survivant de la fratrie, devient seul roi des Francs, mais à sa mort il n'a aucun successeur direct. Le royaume est alors partagé entre les neveux du défunt : Childebert II devient roi d'Austrasie, et Clotaire II, roi de Neustrie. Dès lors, le devenir du royaume franc s'accomplit dans les luttes interminables entre ces deux territoires. Qui va dominer l'autre ?

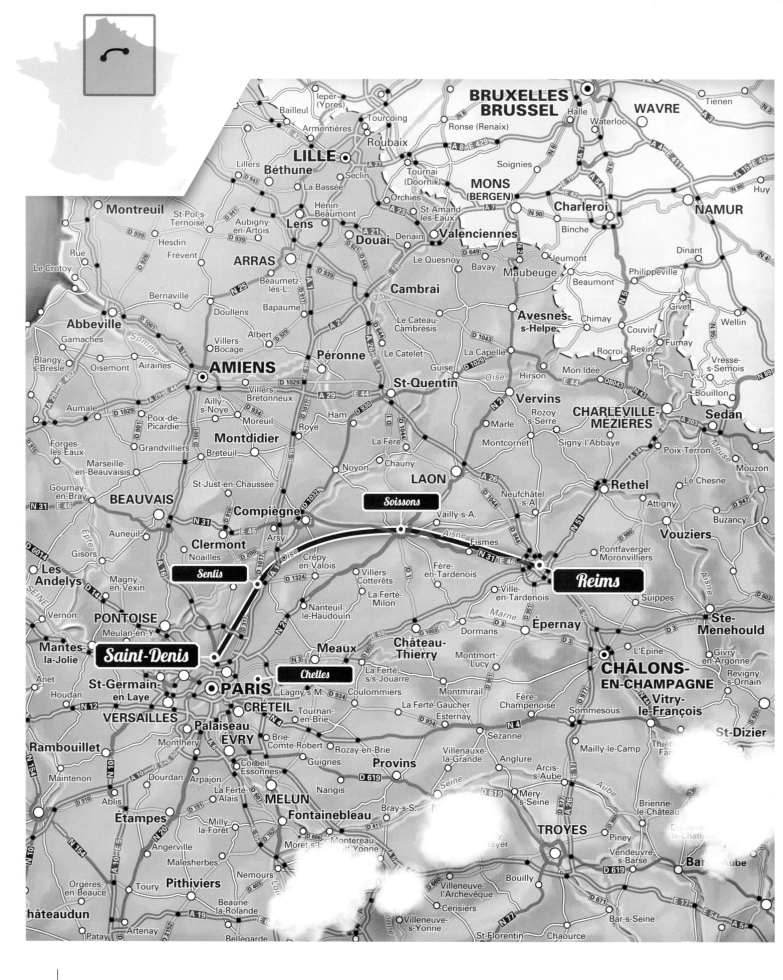

1 Un palais à Soissons

Clovis fit de Soissons sa capitale. Nul ne sait quand ni comment disparut le palais romain que Clovis occupa. Après la mort du roi franc, son fils Clotaire fit construire une abbaye sur cet emplacement – ou juste à côté. De cet édifice il reste cette crypte : un corridor de pierres, et des chambres funéraires... Dont l'une a recueilli autrefois les reliques de saint Médard, évêque de Tournai. La datation de ces pierres est difficile, mais il est certain que cette crypte nous relie à un Soissons disparu : la capitale des rois francs. **(Place Saint-Médard, Soissons)**

Clotaire, fils de Clovis 2

Cette couronne, ces cheveux longs signes de la royauté chez les Mérovingiens... Ce buste qui a traversé les âges est celui de Clotaire, fils de Clovis. Pour devenir roi d'un pays unifié, il lui a fallu quarante-sept ans de meurtres, de trahisons, de perfidies. Il a envahi le royaume des Burgondes, récupéré la Provence, capté le royaume de Metz, repoussé les Saxons, emporté l'Auvergne, tué les deux fils de son frère Clodomir, fait la guerre à Childebert, son autre frère... **(Musée Saint-Léger, 2, rue de la Congrégation, Soissons)**

3 La reine retrouvée

Clotaire, fils de Clovis, épousa 6 femmes... Mais sa préférée fut peut-être Arégonde, de dix-sept ans plus jeune que lui. La reine Arégonde fut inhumée dans la basilique Saint-Denis, qui n'était pas encore la sépulture des rois de France. Le sarcophage a été retrouvé intact en 1959, et la dépouille a été identifiée grâce à une bague en or marquée ARNEGVNDIS. Son long manteau de soie était teint de pourpre – un privilège royal – et les extrémités des manches brodées de fils d'or ; son long voile de soie était orné de motifs jaune et rouge ; ses chaussures étaient de chevreau rouge, et elle portait des bijoux d'or et d'argent sertis de grenats venus d'Asie, sans oublier des boucles d'oreilles en forme de corbeilles, alors à la mode dans le monde byzantin. Ces bijoux sont déposés au **musée du Louvre**, et le sarcophage de pierre se trouve dans le **déambulatoire de la crypte de Saint-Denis**.

4 | Le lieu du crime

Chilpéric, roi de Neustrie, fils de Clovis, fit assassiner sa femme pour épouser sa belle maîtresse, Frédégonde. Ensuite, il ordonna d'occire son frère Sigebert, roi d'Austrasie, histoire d'étendre ses domaines. En 587, un assassin le poignarda à mort en ses terres de Chelles, en Île-de-France. L'endroit précis où le roi fut attaqué est marqué de cette petite borne de pierre blanche : « la borne de Chilpéric ». Une manière de ne pas oublier jusqu'à quelle extrémité peut conduire la haine fratricide. **(Parc Émile-Fouchard, Chelles)**

5 Pèlerinage à Saint-Denis

En ce vi^e siècle, la foi poussait les croyants à prendre la route pour des pèlerinages sur la tombe des saints. Le visage même de Paris s'en trouva bouleversé. La rue Saint-Denis mène au tombeau du saint… à Saint-Denis. Dans la basilique, en pénétrant dans la crypte de saint Denis, on se trouve face à des sarcophages mérovingiens chargés de mystère. Ici, deux tronçons de mur d'une dizaine de mètres témoignent du prolongement vers l'ouest de l'édifice, agrandissement réalisé justement en ce vi^e siècle. La basilique pouvait ainsi mieux recevoir les pèlerins venus en foule.

SAINT-PIERRE-
AUX-NONNAINS

SAINT-DENIS   METZ

De Saint-Denis à Metz, par les chaussées de Brunehaut

Les terrifiants pépins de la réalité

Désormais, Brunehaut règne sur l'Austrasie… Un complot ourdi par les nobles cherche à l'éloigner du pouvoir. Elle trouve refuge à Chalon auprès de son petit-fils, Thierry II, roi de Bourgogne. De là, elle part à la conquête de la Gaule entière. Avec l'aide des armées de Thierry, elle reprend l'Austrasie ; il lui reste à se retourner contre la Neustrie, où règne Clotaire II. Mais la guerre n'aura pas lieu. Les armées se font bien face au bord de l'Aisne, mais les soldats de Brunehaut, lassés de ferrailler, prennent la fuite. Prisonnière, la vieille reine de 70 ans est conduite à Renève, en Bourgogne, où elle est torturée durant trois jours avant d'être mise à mort.

Clotaire II règne donc à présent sur les trois royaumes qui formeront la Francie : la Bourgogne avec la lointaine Aquitaine, la Neustrie et l'Austrasie.

Le bon roi Dagobert, son fils et successeur, meurt en 639, à l'âge de 35 ans. Qui montera sur le trône ? Les fils du défunt sont bien trop jeunes pour exercer le pouvoir… Devant l'effritement de l'autorité royale apparaît une fonction nouvelle : celle de maire du palais. Celui-là devient un véritable Premier ministre, puis davantage encore.

En Neustrie, Ébroïn, le maire du palais, régente tout. Finalement, un seigneur, privé de ses terres, lui fend le crâne d'un coup d'épée… Pour Pépin de Herstal, maire du palais d'Austrasie, ce meurtre est un signe : celui d'une Neustrie à prendre ! En 687, il mobilise une armée, franchit la Somme et vient se positionner sur l'ancien oppidum de Tertry, en Picardie, face aux troupes de Neustrie. Les Neustriens sont écrasés. Et Pépin s'attribue orgueilleusement le titre de dux et princeps Francorum, *duc et premier des Francs.*

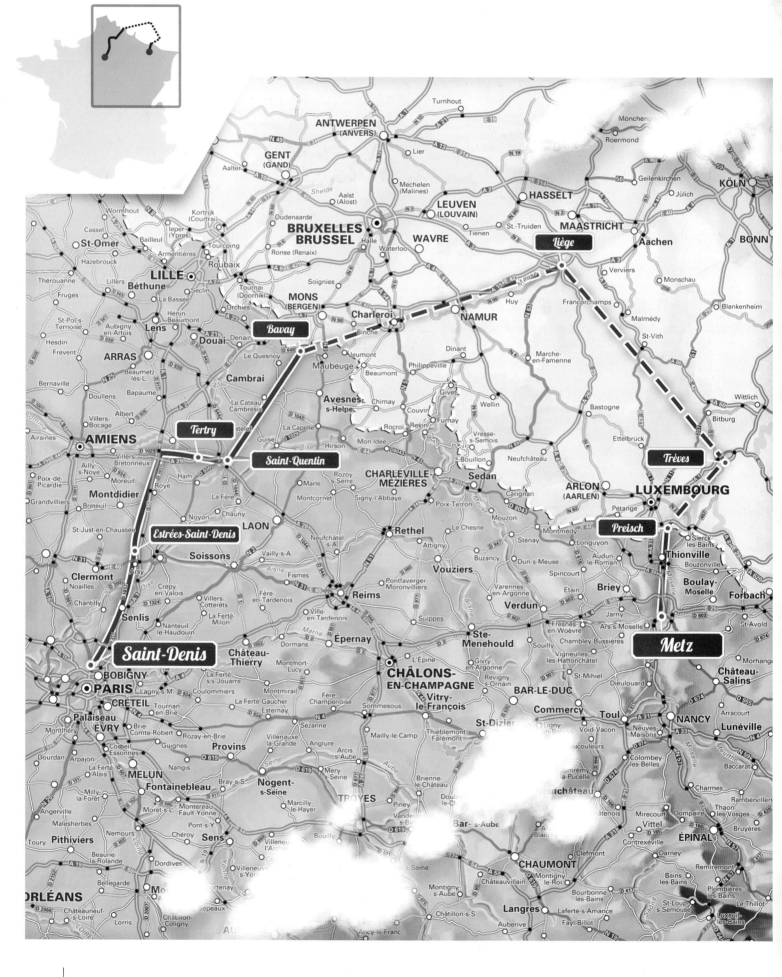

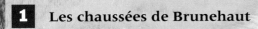

1 Les chaussées de Brunehaut

Que reste-t-il de Brunehaut et de son pouvoir exercé sur l'Austrasie pendant presque un demi-siècle ? Un souvenir : les chaussées de Brunehaut, routes romaines du nord et de l'est, appelées « Brunehaut » parce que la reine a entretenu ces voies anciennes au temps de sa grandeur, assurent les chroniques d'autrefois. Mais la légende s'empara de l'histoire. La reine fut torturée longuement, puis elle fut attachée à la queue d'un cheval sauvage… Un coup de fouet, et l'étalon détala. Il ne resta bientôt rien de la reine, qu'un amas informe. On imagina que le cheval avait traîné derrière lui le corps démantibulé, traçant ainsi, au gré d'une course folle, des chaussées rectilignes affreusement baignées de douleur et de sang.

Brunehaut à Bavay 2

Hommage à Brunehaut, reine d'Austrasie, cette colonne a été dressée dans le centre de Bavay en 1872. C'était une tradition. En effet, en 1766 avait été érigée une autre colonne qui elle-même remplaçait une colonne remontant au XVIᵉ siècle… Et peut-être des colonnes se sont-elles ainsi succédé à cet emplacement depuis des siècles. Cette glorification de la reine avait un but utilitaire : il marquait le carrefour des fameuses chaussées de Brunehaut et indiquait la direction à prendre. La colonne actuelle signale un parcours dont la plus longue distance est d'environ 300 kilomètres et qui se déploie dans 7 directions : vers Soissons et Reims, en France, mais aussi vers la Belgique, les Pays-Bas et l'Allemagne.

3 Metz, capitale éphémère

Les Pépinides, c'est-à-dire Pépin et sa dynastie, ont fait brièvement de Metz leur capitale. Cette riche histoire se concentre dans l'église Saint-Pierre-aux-Nonnains, qui serait la plus vieille de l'Hexagone. D'abord elle fut une salle de sport attachée aux thermes romains, transformée en lieu de culte chrétien en ce VIIᵉ siècle. Dans sa construction même, cet endroit émouvant raconte une partie de l'histoire de la Gaule. On y perçoit la présence des Romains et leur manière de construire : sur les murs, les briques séparent les rangées de pierres taillées. On découvre aussi les transformations effectuées aux temps mérovingiens pour en faire l'église d'un couvent. Plus tard, elle deviendrait un entrepôt militaire ; c'est aujourd'hui une salle de concert et un lieu d'expositions. **(1, rue de la Citadelle, Metz)**

3 La subtile mansuétude de Pépin

Après la bataille qui opposa l'Austrasie et la Neustrie en 687, une troupe neustrienne vaincue trouva refuge au monastère de Saint-Quentin. Les abbés se rendirent auprès de Pépin afin d'implorer la grâce des fugitifs. Et le vainqueur leur accorda généreusement la vie sauve... à condition qu'ils se soumettent et lui jurent fidélité ! Cette mansuétude intéressée fit l'unanimité en faveur de Pépin, qui devint le chef incontesté du royaume franc.

La basilique Saint-Quentin, à Saint-Quentin en Picardie, a été reconstruite à partir du XIIe siècle, mais la mosaïque de marbre parvenue jusqu'à nous provient de l'ancienne construction. Agenouillés sur ces pavés, les Neustriens poursuivis par Pépin de Herstal implorèrent le secours divin et la grâce du vainqueur.

À l'arrière, la pierre noire recouvrait l'antique tombeau de saint Quentin, et fut placée par l'un des premiers « archéologues » : saint Éloi, puissant « ministre » du roi Dagobert.

POITIERS

Poitiers

De Metz à Bordeaux, par la via Regia

Le croissant et le marteau

La Gaule attise les convoitises. Pour la défendre, les troupes franques courent au-delà du Rhin afin de contenir les Germains, reviennent vers Limoges pour mettre au pas les Aquitains, remontent vers Soissons dans le but de repousser les Alamans… L'homme qui mène les Francs, le fils de Pépin, c'est Charles Martel.

Mais bientôt un nouveau conflit éclate en Aquitaine. L'émir Abd al-Rahman a réuni en Espagne une invraisemblable force de frappe destinée à intervenir dans le royaume franc. Charles Martel mobilise, lui aussi, une puissante armée, formée d'environ 200 000 hommes. Pendant ce temps, les Arabes vont planter leurs tentes non loin de Poitiers.

Le samedi 17 octobre 733, Abd al-Rahman lance ses troupes contre la ligne des soldats francs. L'émir lui-même attaque furieusement, mais un javelot le transperce de part en part. Privés de leur chef, les musulmans cherchent à s'échapper, mais Charles Martel poursuit les fuyards, massacre la piétaille et anéantit les cavaliers ennemis.

La victoire de Poitiers n'est pas importante seulement par l'arrêt mis à l'agression sarrasine ; elle permet aussi à Charles Martel de régner sur l'Aquitaine. Et quand les ducs locaux refusent son autorité, le Franc repasse la Loire, s'avance sans coup férir jusqu'à la Garonne et prend Bordeaux, marquant par ce succès le retour de la région tout entière dans le royaume franc.

Malgré ces actions d'éclat, Charles Martel ne sera jamais roi, mais il a ouvert la voie à ses descendants carolingiens.

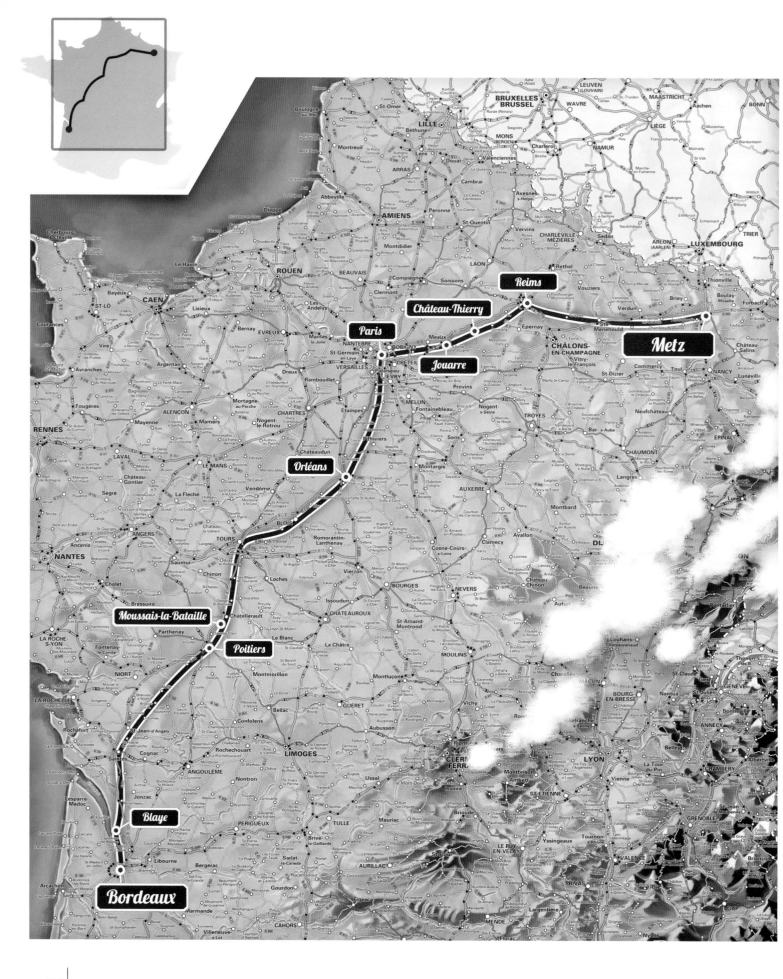

Reims

Château-Thierry

Paris

Jouarre

Metz

Orléans

Moussais-la-Bataille

Poitiers

Blaye

Bordeaux

1 À Metz, le palais des rois d'Austrasie

Le musée de Metz a pris, depuis 1988, le nom de « Cour d'Or », en souvenir du riche domaine d'Austrasie. Charles Martel s'était installé dans l'ancien palais des rois, une construction romaine bâtie sur une bute pentue, le mont Jupiter. À l'intérieur, une partie des thermes romains a été dégagée, vestige édifiant de l'opulence du palais et du confort qu'il offrait. Charlemagne, petit-fils de Charles Martel, abandonna ce palais, livré dès lors aux rapines et aux dévastations. Le bâtiment disparut, ne subsistant que dans la légende. On parlait de Cour d'Or ou de Maison dorée. Quant au mont Jupiter, arasé, il devint les Hauts-de-Sainte-Croix. En 1876, lors de travaux pour le prolongement des égouts citadins, des fragments de murailles et divers débris ont été trouvés, révélant les dernières traces du palais. **(2, rue du Haut-Poirier, Metz)**

2 Le château de Thierry

À Château-Thierry, une ruine impressionnante domine la vallée de la Marne. Dans cette forteresse, Charles Martel fit accueillir comme un invité forcé le roi Thierry IV, jeune homme de 20 ans à qui on ne demandait que de porter la couronne mérovingienne et de se taire. En 733, partant pour l'Aquitaine afin de repousser les sarrasins, Charles Martel est-il venu ici pour informer le souverain des grands événements qui se préparaient ?

Certes, le château a été remanié au cours des générations suivantes – et même réaménagé plus tard selon les lois de la guerre du XVe siècle –, mais cette masse robuste et ces pierres inébranlables évoquent encore le refuge où fut enfermé le dernier vrai Mérovingien, roi fantoche qui se consuma dans l'inaction et mourut dans l'indifférence à l'âge de 24 ans. **(Rue du Château, Château-Thierry)**

3 Le trésor mérovingien

Jouarre, en Île-de-France. Dans sa course vers Poitiers, Charles Martel s'est arrêté pour prier ici. Il nous reste le plus beau trésor mérovingien : ces cryptes qui surgissent des siècles dans leur pureté. La crypte Saint-Paul est soutenue par deux rangées de 3 colonnes gallo-romaines surmontées de splendides chapiteaux mérovingiens en marbre des Pyrénées. Cette salle abrite les sarcophages des ceux qui, vers 630, fondèrent l'abbaye. Ces entrelacs géométriques sont typiques de la sculpture de l'époque, mais le figuratif n'a pas été oublié : un surprenant Christ imberbe au sourire serein nous observe… Des œuvres sans doute réalisées par des artistes venus de Lombardie, mais influencés par l'art byzantin.

Aujourd'hui, un débat fait rage sur la datation exacte de ces constructions, mais le mur ouest de la crypte Saint-Paul, les sarcophages et les chapiteaux sont contemporains de Charles Martel. (**Place Saint-Paul, Jouarre**)

4 La chrétienté sauvegardée

L'émir musulman Abd al-Rahman n'est pas entré dans Poitiers ; ainsi ont été épargnés les monuments de la foi chrétienne. Ce baptistère Saint-Jean est l'un des plus beaux vestiges chrétiens mérovingiens, lieu austère et saisissant de foi parfaite qui accueillait les nouveaux convertis pour leur administrer le baptême. **(Musée du Baptistère Saint-Jean, rue Jean-Jaurès, Poitiers)**

5 L'hypogée caché

Un hypogée est une crypte funéraire creusée en sous-sol. Cet hypogée des Dunes, dont la construction primitive remonte au VIIe siècle, est un témoignage émouvant de l'art religieux mérovingien. Malheureusement, on ne peut le voir qu'en photographie : la bâtisse visible de l'extérieur reflète une banale architecture du XIXe siècle, et les pierres anciennes se dérobent à la curiosité du passant puisque le monument est fermé depuis de longues années… afin d'en assurer la parfaite conservation ! **(Chemin de l'Hypogée, Poitiers)**

6   Le champ de bataille

La grande confrontation entre les Arabes et les troupes franques ne se déroula pas véritablement à Poitiers, mais non loin, au nord de la ville, dans un lieu qui deviendrait **Moussais-la-Bataille**… Les sarrasins ont bivouaqué dans cette approximative presqu'île formée par deux rivières, la Vienne et le Clain. Si Abd al-Rahman choisit d'éviter les proéminences, Charles Martel disposa ses forces légèrement en hauteur, et ce fut l'une des sources de sa victoire.

7   La route de la guerre

Après sa victoire contre les sarrasins, Charles Martel fit la conquête de l'Aquitaine. Il prit **Blaye**, qui lui ouvrait la route de Bordeaux. Blavia, disaient les Romains, terme qui viendrait du latin *belli via*, la route de la guerre. Ces ruines de la basilique Saint-Romain prennent la forme de nos rêves… Car l'ancienne basilique a bien souffert, et les coups ultimes lui ont été donnés au XVIIe siècle par Vauban, quand il construisit ici une citadelle. Mais les souvenirs reviennent : en 1969, des soubassements et des chapiteaux de la basilique ont été mis au jour. Ainsi, les vieilles pierres nous incitent à retrouver la mémoire.

Roland et sa chanson **8**

Charles Iᵉʳ, futur Charlemagne, entra dans Bordeaux au mois d'août 778. Il revenait d'une expédition calamiteuse en Espagne : dans les Pyrénées, au col de Roncevaux, l'arrière-garde des troupes royales était tombée dans une embuscade tendue par des pillards basques. Roland, neveu du roi, voulut appeler son oncle à la rescousse ; il sonna du cor, s'époumona, souffla si fort qu'il en mourut, les veines éclatées.

Les soldats tombés avec Roland furent enterrés à Bordeaux, dans le cimetière de la basilique Saint-Seurin, et Charlemagne aurait offert le fameux cor à la basilique, histoire d'attirer les pèlerins.

La littérature perpétua la légende de Roland. Au XIᵉ siècle, trois cents ans après les faits, *La Chanson de Roland* célébra la gloire immortelle du preux neveu et évoqua, en français de l'époque, le dépôt du fameux cor :

Desur l'alter seint Sevrin le baron,
Met l'oliphant plein d'or e de manguns,
Li pelerin le veient ki la vunt.

Autrement dit : « Sur l'autel du baron Saint-Seurin, [Charlemagne] dépose l'olifant plein d'or et de mangons [une ancienne monnaie d'or sarrasine], les pèlerins qui vont là le voient. » L'objet a disparu depuis longtemps, mais la basilique dresse toujours son clocher vers le ciel.

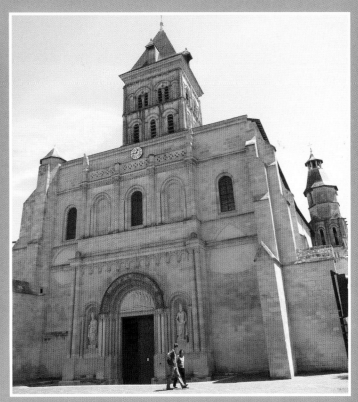

La crypte de Camille Jullian **9**

En 1910, dans la basilique Saint-Seurin le célèbre historien Camille Jullian mit au jour cette « crypte mérovingienne », un sous-bassement mêlant plusieurs époques, avec des chapiteaux gallo-romains, des enclos funéraires et des sarcophages aux décors de feuilles et de fruits. Ici, peut-être, fut déposé le cor sonné par Roland à Roncevaux, alors qu'au-dehors, sous la terre, reposent pour l'éternité les chevaliers tombés dans l'embuscade tendue par des bandits basques. **(Place des Martyrs-de-la-Résistance, Bordeaux)**

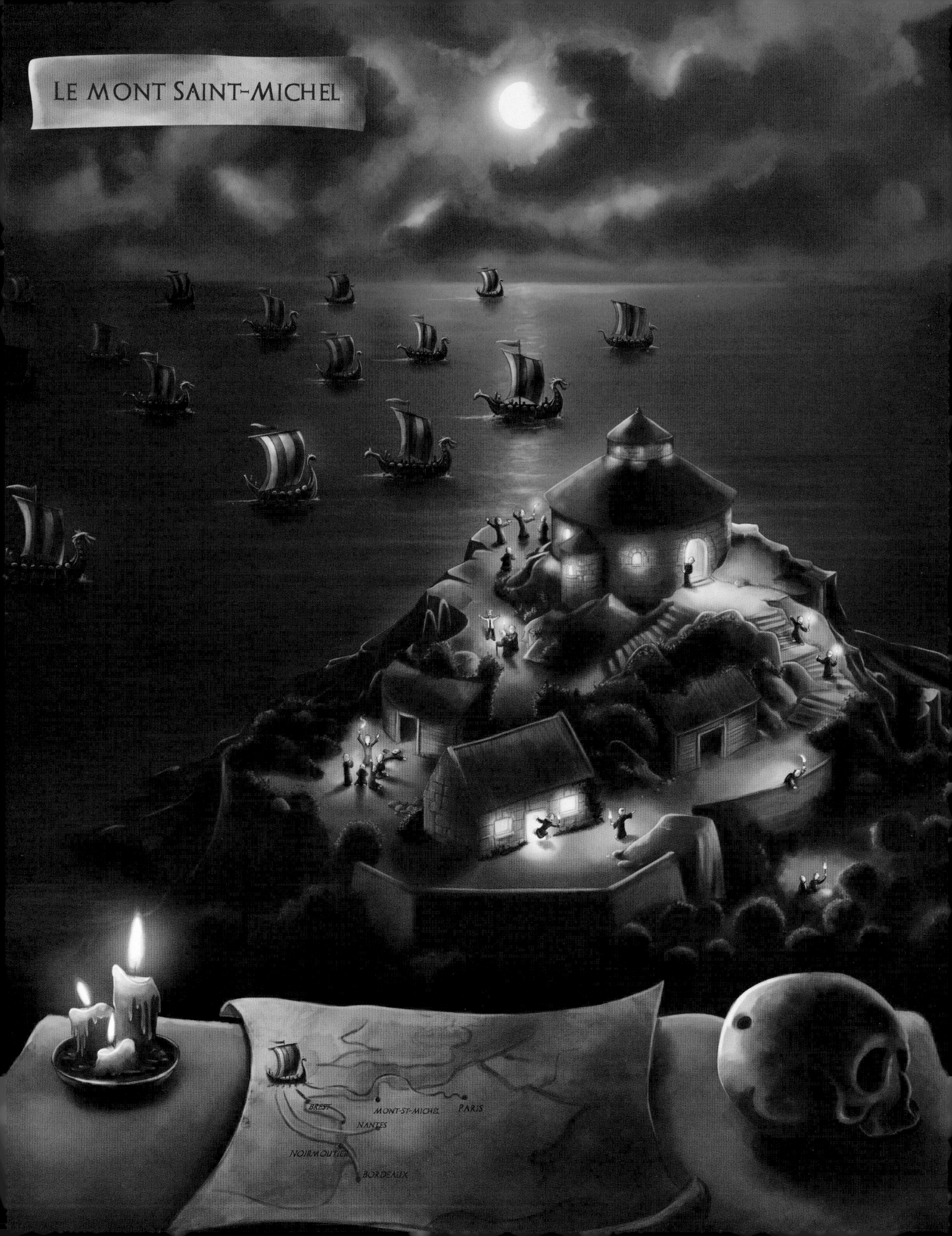
LE MONT SAINT-MICHEL
BREST
MONT-ST-MICHEL
PARIS
NANTES
NOIRMOUTIER
BORDEAUX

De Bordeaux à Rouen,
par les estuaires de l'Atlantique et de la Manche

Je vais revoir ma Normandie

Il ne faut pas les vexer, les Aquitains, alors Charlemagne leur donne un roi, un petit roi de 3 ans : son fils Louis. Au fil des années, ce souverain de pacotille adopte son modeste royaume ; il se fait aquitain, apprend le parler de la région, oubliant le francique de son père, et s'exprime en langue romane.

De son côté, Charlemagne, devenu empereur, se préoccupe des routes… Pèlerinages ou conquêtes militaires, il a besoin de voies de communication efficaces, rapides, en bon état. Il ordonne de réparer les anciennes voies romaines, mais fait aussi tracer de nouvelles chaussées.

À la mort de Charlemagne, en 814, le roi d'Aquitaine devient empereur sous le nom de Louis Ier. Il arrive à Aix, capitale impériale – aujourd'hui Aix-la-Chapelle, en Allemagne –, apportant à la cour le parler roman. Cette forme ancienne du français s'imposera lentement et finira par unir les diverses provinces de l'Hexagone.

Mais pour l'heure, on s'occupe peu de linguistique : au printemps 840, les Vikings attaquent ! Les hordes de pilleurs tuent, volent, incendient… Ils détruisent Bayonne, dévastent Dax, Tarbes, Saint-Lizier…

En 876, Göngu-Hrólf s'empare de Rouen, où il veut établir sa résidence et créer la nation dont il a la vision : la Normandie… le pays des hommes du Nord.

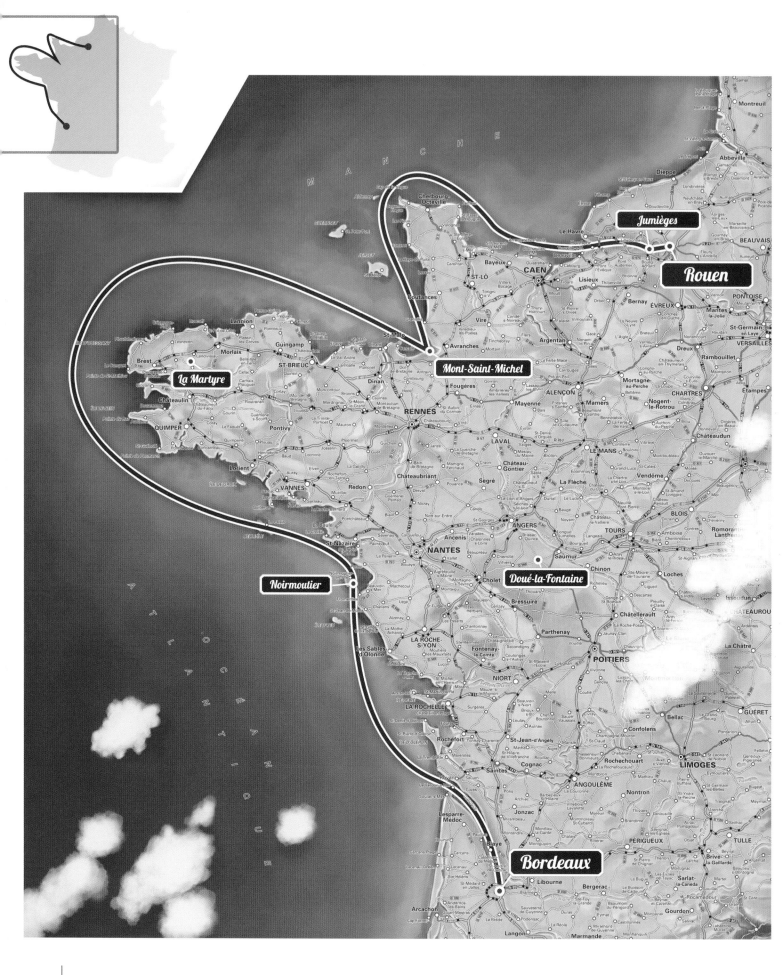

Jumièges

Rouen

Mont-Saint-Michel

La Martyre

Noirmoutier

Doué-la-Fontaine

Bordeaux

1 Drakkars avec deux k

Les Vikings, venus des pays scandinaves, terrorisaient les populations en surgissant des horizons maritimes dans ces bateaux étranges à la proue faite d'une figure monstrueuse, dragon à bec ou serpent à crête : les *knerrir*. Ce mot ne vous dit rien ? Bizarrement, en français, on dit « drakkars », terme que les Vikings, eux, n'ont jamais utilisé. Ce vocable a été forgé au milieu du XIXᵉ siècle par l'historien lyonnais Auguste Jal, à partir du suédois *drakar*, dragon, allusion aux terribles figures de proue qui ornaient ces embarcations. Mais attention : « drakkar » avec deux k, s'il vous plaît, pour faire plus menaçant encore !

Pour contenir les Vikings

Construction romaine typique, cette tour ronde est faite d'un appareillage de gros moellons et de petites briques rouges. Voilà à peu près tout ce qui reste des puissants remparts de Bordeaux sur lesquels sont venus s'échouer les Vikings. **(Rue Paul-Painlevé, Bordeaux)**

Souvenirs en noir

C'est un amas de pierres noires… Le temps a dénaturé cet ensemble et l'on ne sait plus très bien à quoi il servait. Une seule chose est certaine : il s'agit d'une partie du rempart qui se dressa face aux hommes du Nord. **(Au milieu du passage de La Tour-de-Gassies, Bordeaux)**

L'abbaye de Louis le Pieux

Fils de Charlemagne, roi d'Aquitaine puis empereur d'Occident, Louis Ier fit construire de nombreux édifices religieux, au point qu'on le nomma Louis le Pieux. Il éleva une abbaye sur l'île de Noirmoutier, détruite par les Vikings. Il en reste cette crypte fortement remaniée située sous le chœur de l'église paroissiale. Ici fut déposé le corps de saint Philbert, fondateur de l'abbaye. Mais en 836, par peur des invasions vikings, on emporta la dépouille. Une châsse contenant quelques reliques du saint fut tout de même déposée dans la crypte… mais mille ans plus tard, en 1863 ! **(2, rue du Cheminet, Noirmoutier)**

Légèreté carolingienne

Par peur des invasions vikings, le corps de saint Philbert fut emporté à une cinquantaine de kilomètres à l'est de l'île de Noirmoutier, dans un lieu qui allait devenir Saint-Philbert-de-Grand-Lieu, en Pays de la Loire. L'abbatiale fut construite au début du IXe siècle et demeure comme un rare exemple d'architecture religieuse carolingienne. Alors, évidemment, la lourdeur extérieure du bâtiment nous consterne, mais il faut entrer, et tout change. En effet, la légèreté est faite d'une succession de pierres claires et de briques ocre offrant aux piliers et aux arches une grâce inattendue. **(Place de l'Abbatiale, Saint-Philbert-de-Grand-Lieu)**

6 Le domaine du pieux Louis

Le futur empereur Louis Ier fut d'abord roi d'Aquitaine et s'établit en son domaine de Layon, aujourd'hui Doué-la-Fontaine, en Pays-de-Loire. Le palais ancien, fait de bois et de terre, a disparu depuis longtemps. Sur la motte où il se dressait, une forteresse de pierre a pris sa place à la fin de ce IXe siècle. **(Rue de la Motte, Doué-la-Fontaine)**

7 Le théâtre des Carolingiens

Non loin des ultimes traces du palais de Louis Ier, voici un étonnant petit amphithéâtre creusé à même la roche. Il a l'air un peu romain, certes, mais pas vraiment… Il s'agit, en fait, d'une « imitation » réalisée entre les VIIIe et IXe siècles, au temps où les Francs et leur dynastie carolingienne cherchaient à poursuivre pour leur gloire la grandeur romaine. **(Rue des Arènes, Doué-la-Fontaine,** ici durant le Festival d'Anjou)

Notre-Dame sous mont Saint-Michel

Par la route maritime, les Vikings parvinrent aux abords du mont Saint-Michel, qui n'était encore qu'un petit oratoire construit à flanc de rocher dans lequel priaient quelques chanoines. Devant la fureur des hommes du Nord, les religieux prirent la fuite tandis que des laïcs transformaient l'endroit en une place forte, un refuge pour échapper aux coups des Vikings. La petite église Notre-Dame-Sous-Terre est la plus ancienne du mont. Le mur sud, élevé à même la paroi du rocher, constitue le vestige du tout premier oratoire construit au VIIIe siècle. Ici se sont cachés en priant ceux qui espéraient échapper aux terrifiants Vikings.

8

9 ## La Martyre du roi Salomon

En Bretagne bretonnante, on l'appelait *ar roue Salazün*, c'est-à-dire le roi Salomon, car on le disait aussi sage que le monarque biblique. En tout cas, il voulut maintenir l'indépendance bretonne, chassa les Vikings et entretint des relations difficiles avec les Francs. Le 28 juin 874, le neveu de Salomon, qui voulait devenir roi à la place du roi, conspira avec la noblesse franque. C'est ici, au sortir de l'église, que le roi fut attaqué par ses ennemis, on lui arracha les yeux et on l'abandonna sur place. Le roi Salomon agonisa toute la nuit et rendit son âme au petit matin… Trente-cinq ans plus tard, l'Église bretonne fit acte de contrition en transformant le roi assassiné en saint vénéré, puis le hameau qui vit sa fin atroce adopta le nom mortifiant et mortifère d'*Ar Merzher*, en français La Martyre.

10 L'abbaye martyre

Jumièges, à une vingtaine de kilomètres à l'ouest de Rouen, au creux d'une boucle de la Seine. Ici fut fondée une abbaye. Les vestiges carolingiens de l'église Saint-Pierre sont enchâssés dans un ensemble gothique. Sur la fresque, un homme nous observe… Ce regard figé dans la pierre a vu se succéder tous ceux qui ont entrepris méthodiquement de saccager les lieux : les Vikings, les huguenots, les révolutionnaires. **(24, rue Guillaume-le-Conquérant, Jumièges)**

SENLIS
Le couronnement d'Hugues Capet

ROUEN SENLIS

De Rouen à Senlis, par la chaussée Jules-César

Mort d'un empire, naissance d'un royaume

Rollon, c'est quand même plus facile à prononcer que Göngu-Hrólf ! En tout cas, les habitants de Rouen affublent de ce surnom le maître viking qui s'est établi dans leur ville.

À partir de Rouen, sa capitale, Rollon fait des incursions destructrices à Paris, à Saint-Lô et à Bayeux, où il a tué le comte Bérenger, un noble franc tombé les armes à la main. Et Rollon épouse Poppa, la fille du comte assassiné. L'union improbable du barbare et de la noble franque se révèle heureuse et durable.

Mais Rollon continue ses incursions. À l'automne 911, Charles III le Simple, roi des Francs, convie le prince de Normandie à une rencontre à Saint-Clair-sur-Epte, à mi-chemin sur l'axe antique entre Rouen et Paris. Le roi admet la domination normande sur son territoire et Rollon s'engage à ne plus attaquer les villes franques. Geste d'amitié, Rollon accepte d'entrer pieusement dans le giron du christianisme.

De Saint-Clair-sur-Epte nous avançons jusqu'à Senlis, dans notre Picardie. Le temps a passé et c'est ici qu'au mois de juin 987 les grands du royaume franc se réunissent pour désigner le successeur de Louis V, le dernier roi carolingien, disparu sans enfants à l'âge de 20 ans. Les Francs, les Bretons, les Normands, les Aquitains, les Angevins, les Bourguignons, les Goths, les Basques et les Gascons choisissent Hugues Capet. Mais quelle est vraiment l'autorité de ce roi ? Il ne parvient pas à régner sur un pays divisé où les nobles se font perpétuellement la guerre…

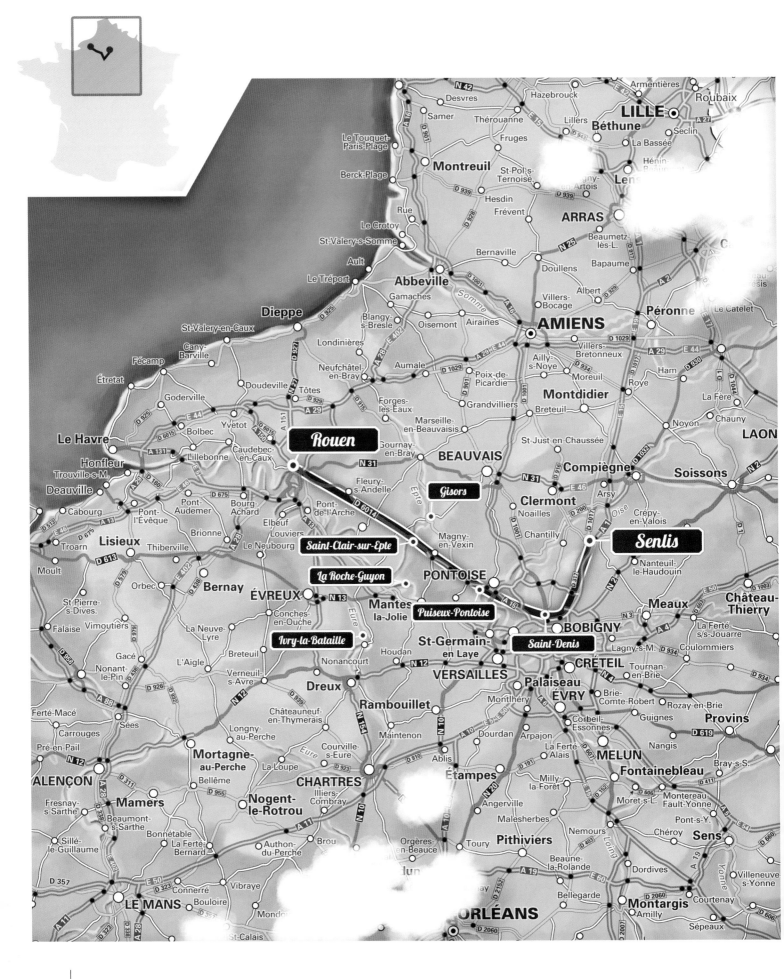

1 Le château de Rollon

Ces ruines encore impressionnantes sont tout ce qui reste de l'église Saint-Pierre du Châtel. Ce « châtel » aujourd'hui disparu, dont la vieille église conserve le souvenir, était le château de Rollon, le Viking qui s'inventa un pays : la Normandie. Ici fut enfermée la douce Poppa, son épouse franque ; ici celle-ci resta fidèlement auprès de son époux nordique pour donner une descendance aux princes de Normandie… De cet amour allait naître, en effet, la lignée prestigieuse des ducs de Normandie, fondement d'une nation dont on retrouverait les traces, l'inventivité, la création jusqu'en Sicile et en Turquie. Parmi la descendance de Rollon et Poppa, citons Adélaïde d'Aquitaine, reine des Francs, épouse d'Hugues Capet, puis Guillaume le Conquérant, et enfin toute une lignée de rois en France comme en Angleterre. **(Rue Camille-Saint-Saëns, Rouen)**

Sur la frontière… 2

En 911, le traité de Saint-Clair-sur-Epte, signé entre la Francie et la Normandie, régla de nombreux problèmes entre les Francs et les hommes du Nord. Mais il n'abolit pas la méfiance qui sévissait dans les deux camps. Le donjon de Château-sur-Epte (ci-contre), que l'on peut voir un peu au sud de Saint-Clair, n'était alors qu'une fortification en bois destinée à veiller sur la route… Il allait bientôt être renforcé et solidifié. Ci-dessous, le château de Gisors est tout aussi emblématique.

3 La tour de Londres en Normandie

En Haute-Normandie, en un lieu appelé aujourd'hui **Ivry-la-Bataille** (en raison d'une bataille remportée par Henri IV au XVIe siècle), le fils de Rollon Guillaume Longue-Épée fit dresser un château fort dont le but unique était de surveiller la frontière et de maintenir au loin les soldats francs. De ces temps du soupçon, il subsiste ces pierres qui représentent la base du donjon quadrangulaire, une arcade d'entrée, des tours d'angle et l'enceinte faite de pierres plates disposées en épi.

On ne le voit plus dans ces pierres souvent éboulées, mais le château représenta, en ce Xe siècle, une conception nouvelle de la défense. Si nouvelle qu'au siècle suivant les architectes anglais seraient venus sur place pour s'inspirer de ce modèle et construire la célèbre tour de Londres !

4 Le donjon de la méfiance

La Roche-Guyon, c'est encore l'Île-de-France, mais certains estiment que c'est déjà la Normandie. Son château est aujourd'hui un mélange de mille ans de styles, avec quelques curiosités : le donjon fortifié, posé sur la colline dominant la vallée de la Seine, est relié à la forteresse du bas par un souterrain… On n'était jamais assez prudent face aux amis normands !

5 La chaussée Jules-César

Cette impressionnante ligne droite qui longe la Seine de Rouen à Paris fut celle que Rollon emprunta pour aller rencontrer Charles III, le roi franc : c'est la chaussée Jules-César ! En réalité, cette route ne doit rien au célèbre dictateur, mais a tout de même été tracée par les Romains du Ier siècle. Elle est restée longtemps indispensable, permettant des déplacements rapides grâce à la largeur de sa voie et aux dallages posés sur les passages difficiles.

Dès 1999, une reconnaissance du tracé de cette voie a révélé son mode de construction : le terrain a été nivelé puis couvert d'importants blocs de pierre posés à plat. Ensuite, cette assise a été surmontée de couches assurant l'élasticité de la structure, sable ou calcaire pilé.

6 La tour Hugues-Capet

À **Senlis**, dans le **parc du château royal**, cette tour carrée est le vestige millénaire du donjon royal, l'endroit où les grands du royaume se réunirent pour ovationner leur nouveau roi : Hugues Capet. Ici, Adalbéron, archevêque de Reims, soutint l'élection du duc franc :

– Vous trouverez en lui un défenseur, non seulement pour l'État, mais encore pour vos intérêts privés. Grâce à son dévouement, vous aurez en lui un père…

CLUNY

SENLIS

CLUNY

De Senlis à Cluny, par le chevelu médiéval

La lumière du monde

Adélaïde, la pieuse épouse d'Hugues Capet, veut remercier Senlis, la cité qui l'a faite reine. La vieille église à demi éboulée fait donc place à une opulente collégiale où 12 chanoines ont mission de prier pour le roi et sa famille.

Hélas, les prières ne suffisent pas. Le souverain franc ne parvient pas à s'imposer. La richesse et le pouvoir sont entièrement entre les mains des hauts seigneurs, qui dominent leur ville, leur région, leur fief. Dans un pays dépourvu d'une véritable autorité centrale, chaque région réclame sa capitale, son centre névralgique, son point de défense, et les routes se faufilent, zigzaguent pour atteindre la ville ou le château sur lequel le seigneur local règne en maître absolu. Cet itinéraire rend compte des vicissitudes de l'Histoire et de la perte d'autorité du souverain, et ce parcours s'ébouriffe, si bien qu'on finit par le nommer le « chevelu médiéval »…

Prenons la route de la Bourgogne pour arriver à Cluny, la « lumière du monde », selon le pape Urbain II. C'est justement Urbain II qui, de passage à Cluny, en septembre 1095, diffuse la grande idée qui l'agite : délivrer le tombeau du Christ sur la colline de Jérusalem.

Et pendant que les nobles vont guerroyer autour du saint tombeau, ils délaissent leurs querelles. De cette expédition au bout de la foi, certains ne reviendront pas, d'autres rentreront malades ou épuisés… Et c'est le roi des Francs qui en sortira renforcé.

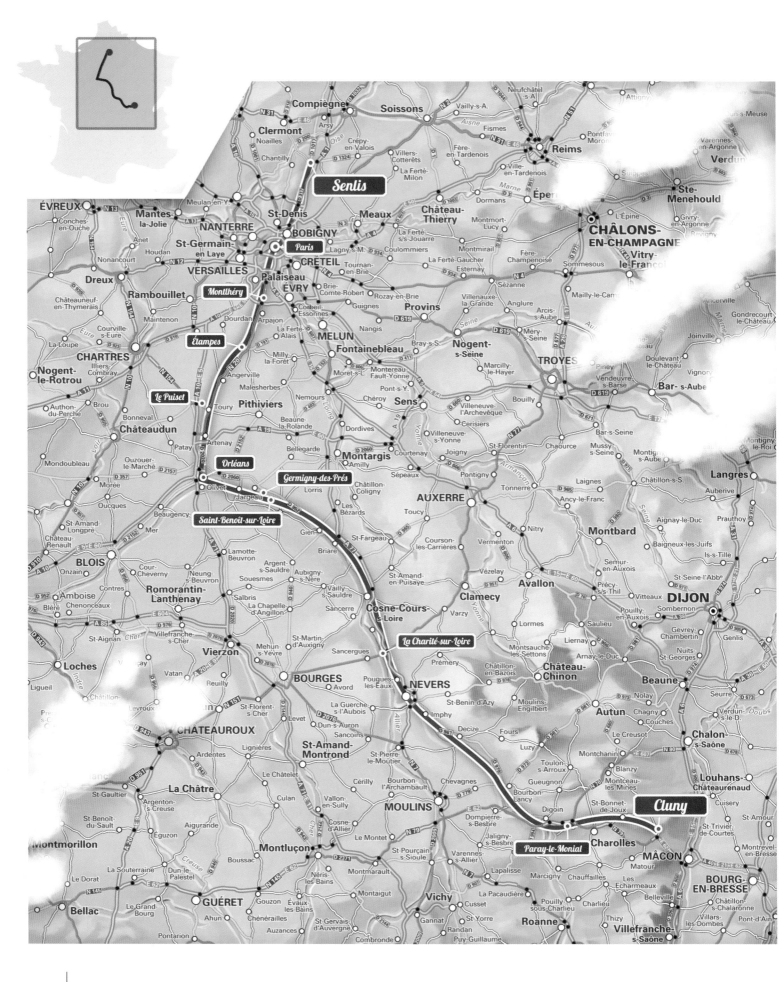

Senlis
S.¹ Frambourg

1 Saint Frambourg nous guette à Senlis

Adélaïde fit bâtir ici une collégiale. Mais un lieu de piété se devait d'avoir sa belle relique capable d'attirer donations et pèlerins. On fit venir du pays de Loire la dépouille d'un certain Frambourg, un saint ancien qui vécut au VIe siècle. La collégiale voulue par la reine Adélaïde disparut après la Révolution… Mais elle retrouva un semblant de vie en 1973, quand le pianiste Georges Cziffra racheta ce qui restait des bâtiments. Des fouilles archéologiques permirent alors de retrouver la chapelle avec des piliers et colonnes. **(Auditorium Franz-Liszt, place Saint-Frambourg, Senlis)**

Une tour sur le mont Lhéry **2**

Les passionnés de voitures de course connaissent Montlhéry pour son circuit qui rassemble les amateurs de vitesse depuis 1924. Mais cette ville d'Île-de-France a évidemment une histoire plus longue et plus captivante. Guy, comte de Montlhéry, habitait ce château de pierre dont l'emplacement n'avait pas été choisi au hasard : au bord de la grande route du royaume, celle qui reliait Paris à Orléans.

Le seigneur châtelain pouvait donc contrôler le trafic sur cette voie importante. De quoi inquiéter le roi… Au début du XIIe siècle, Louis VI ordonna la destruction du château, mais conserva la tour en souvenir des combats qu'avait entrepris son père, Philippe Ier, pour tenter de prendre la forteresse.

Hélas, le monument originel a disparu : la tour actuelle est très postérieure au XIe siècle. Elle se dresse pourtant comme un souvenir de la politique indépendante des seigneurs face au roi et au pouvoir central. **(Allée de la Tour, Montlhéry)**

3 Un défi au roi

Cette forteresse du **Puiset** se dressa contre l'autorité royale. En 1031, Henri Ier, fils de Robert le Pieux, en fit le siège… sans grand résultat, puisque son successeur Philippe Ier dut à son tour attaquer le domaine, assaut qui se solda par un échec. Ce n'est qu'au siècle suivant, en 1118, que Louis VI parvint enfin à s'emparer de l'arrogante citadelle.

4 La Byzance des Carolingiens

Sur notre route vers Cluny, comment ne pas s'arrêter à l'oratoire carolingien de Germigny-des-Prés, dans la région Centre ? C'est à un certain Théodulphe, qui fut le conseiller de Charlemagne, que l'on doit ce rare exemple d'architecture carolingienne.

Au XIXe siècle, la voûte, alors blanchie à la chaux, semblait banale et sans grand intérêt… Et soudain, la vérité se révéla ! D'étranges cubes de verre tombèrent des hauteurs. D'où venaient-ils ? L'enduit fut soigneusement gratté et l'on découvrit, émerveillé, cette mosaïque de style byzantin du IXe siècle. Ces deux anges entourant l'arche d'alliance – le coffre destiné à conserver les Tables de la Loi données par Dieu au peuple d'Israël – démontrent le lien qui existait entre les artistes du monde chrétien. **(6, route de Saint-Martin, Germigny-des-Prés)**

5 L'ostensible humilité de Philippe Iᵉʳ

L'architecture romane, qui s'est développée au Moyen Âge, se voulut une renaissance ou une réinterprétation de l'architecture romaine. L'abbaye bénédictine de Saint-Benoît-sur-Loire, dans la région Centre, fondée dès 651, en est un exemple somptueux. Ici repose, depuis 1108, le roi Philippe Iᵉʳ, arrière-petit-fils d'Hugues Capet. Pourquoi est-il enterré ici, ce souverain de Francie ? Par soumission à l'autorité du pape ! Après s'être opposé au souverain pontife, que le roi accusait de vouloir amoindrir son pouvoir, Philippe Iᵉʳ fit amende honorable. Pour preuve de sa bonne volonté, il refusa d'être enterré à Saint-Denis, aux côtés du saint et des rois, manifestant ainsi, in extremis, sa parfaite humilité chrétienne. **(1, avenue de l'Abbaye, Saint-Benoît-sur-Loire)**

La Charité, fille de Cluny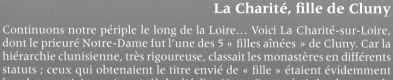

Continuons notre périple le long de la Loire… Voici La Charité-sur-Loire, dont le prieuré Notre-Dame fut l'une des 5 « filles aînées » de Cluny. Car la hiérarchie clunisienne, très rigoureuse, classait les monastères en différents statuts ; ceux qui obtenaient le titre envié de « fille » étaient évidemment les plus prestigieux. Au xiᵉ siècle, l'église Notre-Dame était la plus grande église de la chrétienté après Cluny, et plus de 200 moines y logeaient en permanence. Bien sûr, l'église ne nous est pas parvenue exactement dans son état d'origine – ne serait-ce qu'en raison d'un incendie qui, en 1559, provoqua la décadence du monastère –, mais le chœur et le transept ont conservé intacte l'austère beauté du xiᵉ siècle. **(5, place Sainte-Croix, La Charité-sur-Loire)**

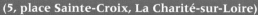

7 Paray-le-Monial, un Cluny modèle réduit

Cluny étendait son autorité sur 800 « filiales ». Parmi elles, la basilique du Sacré-Cœur de Paray-le-Monial, en Bourgogne, nous touche particulièrement car elle a été construite sur le modèle de Cluny, la maison mère. Modèle réduit, bien sûr, mais qui reste, dans son style roman du xiᵉ siècle, une figure vivante de ce qui a disparu ailleurs. **(25, avenue Jean-Paul-II, Paray-le-Monial)**

8 Les dernières pierres de Cluny

Que reste-t-il de Cluny aujourd'hui ? Quelques vestiges de la grande église avec le bras sud du grand transept et son clocher octogonal roman.

On peut aussi rêver devant le portail d'honneur de l'abbaye et les 5 tours médiévales que le temps et la violence des hommes ne sont pas parvenus à détruire. C'est peu comparé à la grandeur passée, car l'Histoire a été cruelle pour cette puissante abbaye : la mauvaise gestion du xiiie siècle, le désintérêt du xve, les exactions du xviiie et l'indifférence du xixe ont eu raison de la plupart des bâtiments. **(Rue du 11-Août-1944, Cluny)**

De Cluny à Boulogne-sur-Mer, par la via Francigena

Les marchands et le temple

La richesse de Cluny ne plaît pas à tout le monde. Un moine cistercien, Bernard de Clairvaux, se dresse avec virulence contre ce faste démesuré. Eh bien, en 1146, c'est justement ce moine-là que le pape Eugène III choisit pour annoncer la deuxième croisade. Bernard prêche sur les chemins de Bourgogne… À Vézelay, le jour de Pâques, il annonce la grande ambition papale : renforcer le royaume chrétien de Jérusalem.

À Clairvaux, pour rejoindre Bernard, nous avons emprunté la via Francigena, la voie des Francs, un chemin qui va de Cantorbéry, en Grande-Bretagne, jusqu'à Rome, en Italie, en traversant toute la Francie. Et nous arrivons ainsi à Bar-sur-Aube un mardi de mars, jour d'ouverture de la foire. Dans les rues s'étalent des marchandises de toutes sortes – fruits, épices, draperies…

Ceux qui poursuivent leur périple sur cette voie jusqu'à son extrémité en Francie font un détour pour se rendre à Boulogne-sur-Mer. En ce lieu légendaire, une barque, sans marin à bord, serait entrée un jour dans le port pour offrir à la ville une statue en bois de la Vierge, et des miracles s'accomplirent…

Mais la politique reprend ses droits. Au mois d'avril 1199, Richard Cœur de Lion, le roi d'Angleterre, meurt ; cette disparition brutale est un bouleversement stratégique : l'empire Plantagenêt, qui s'était répandu dans tout l'ouest de la Francie, a perdu son champion. Le roi Philippe Auguste peut se lancer dans la reconquête des territoires perdus. En rejetant l'ennemi, le souverain construit une nation : le roi des Francs devient roi de France.

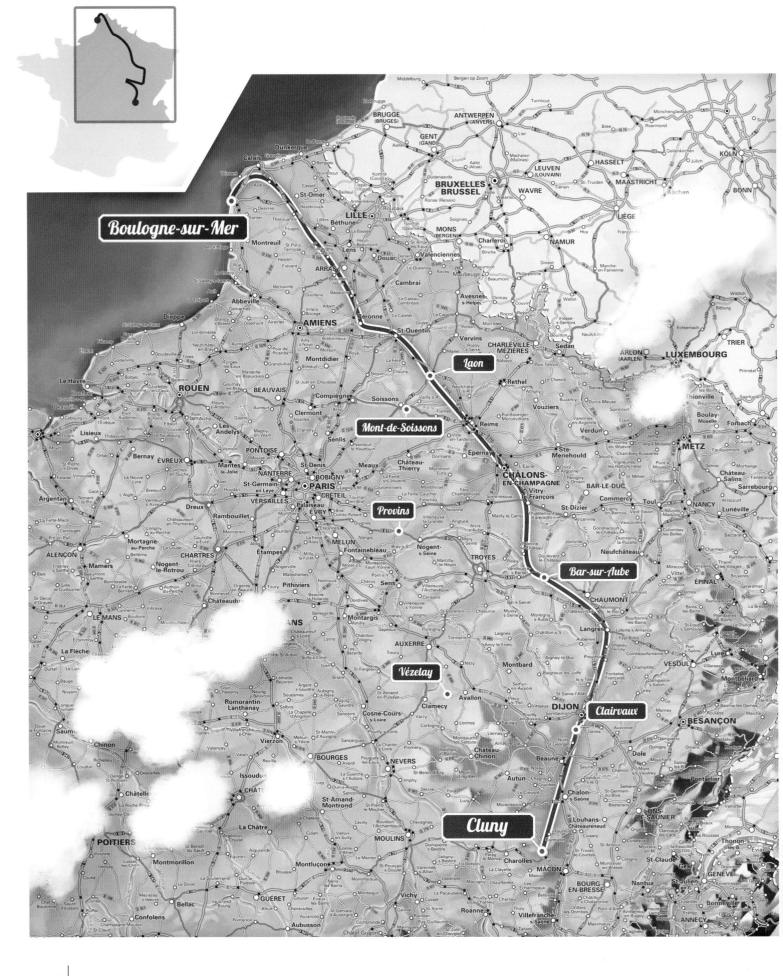

Boulogne-sur-Mer

Laon

Mont-de-Soissons

Provins

Vézelay

Bar-sur-Aube

Clairvaux

Cluny

1 L'ermitage de Bernard

Cette chapelle, la Cordelle, fut élevée à Vézelay sur le lieu même où, dit-on, Bernard de Clairvaux prêcha la deuxième croisade en 1146. Élevé un an plus tard, ce modeste et austère ermitage accueille toujours les fidèles en quête du silence et de la béatitude d'une retraite spirituelle. **(Chemin de la Cordelle, Vézelay)**

2 Des convers à la prison

De nos jours, quand on dit « Clairvaux », on entend surtout « prison ». En effet, les anciens bâtiments de l'abbaye fondée par Bernard et ses compagnons servirent de centre pénitentiaire entre 1804 et 1970... jusqu'à ce que les détenus aillent occuper des locaux plus adaptés. Triste sort pour ce lieu enchanteur, la *Clara Vallis*, la Claire Vallée devenue Clairvaux... Cette abbaye de Champagne-Ardenne a été rebâtie peu après la mort du fondateur, en 1153, et malgré les vicissitudes des siècles le bâtiment des convers est parvenu jusqu'à nous. Ici travaillaient, vivaient, priaient les moines qui se consacraient aux travaux manuels. Le réfectoire, le cellier et le dortoir en étage ont été restaurés dès 2003. Les lieux ont retrouvé ainsi toute leur magnificence et leur imposant silence. **(Abbaye de Clairvaux, Ville-sous la-Ferté)**

3

La légende de Bar-sur-Aube

Voici la plus ancienne maison de Bar. Cette bâtisse du XIIᵉ siècle est encore appelée « le petit Clairvaux », car elle fut la maison de ville des moines de l'abbaye. **(24, rue Beugnot)**
Mais d'autres choses sont à découvrir : on dit que Bar est parcouru d'immenses caves… Ce sont les entrepôts créés il y a plus de huit cents ans pour alimenter les étals de la foire !

4 ### Le souvenir de la foire est en péril

À Bar-sur-Aube, le clocher de cette église Saint-Maclou, daté de ce XIIᵉ siècle, fut le donjon du château des comtes de Champagne. De ces hauteurs, les seigneurs des lieux pouvaient observer avec satisfaction la bonne marche des affaires. Fermé au public depuis 1954, l'édifice est aujourd'hui en grand péril… Si rien n'est fait dans un avenir proche, il risque de disparaître corps et biens. **(2, rue de l'Abbé-Riel, Bar-sur-Aube)**

5 À Provins aussi on faisait la foire

En cheminant sur la via Francigena, le voyageur pouvait atteindre Provins, dont la foire se tenait en mai et en septembre. De ce XIIe siècle il nous reste ce bâtiment dit la grange aux dîmes – car il servit à entreposer la dîme, l'impôt sur les récoltes. Mais avant cela, au temps des foires, les marchands de passage ouvraient des boutiques au rez-de-chaussée et, le soir, ils allaient dormir à l'étage. Il abrite aujourd'hui un musée de cire consacré aux métiers du Moyen Âge. **(Rue Saint-Jean, Provins)**

6 Provins et César

On l'appelle la tour de César, quoiqu'elle ne doive rien au célèbre Jules. Mais enfin, dans un temps où l'Histoire était une vague nébuleuse, tout ce qui paraissait un peu ancien était attribué aux Romains… et donc à Jules César en personne ! En fait, ce donjon carré construit au XIIe siècle fut, en quelque sorte, une tour à tout faire : point de guet, prison, arsenal… Évidemment, et cela saute aux yeux, le toit pyramidal posé comme un chapeau incongru sur les pierres antiques n'a été ajouté que plus tard, au XVIe siècle.
(Rue de la Pie, Provins)

Sous le regard des Templiers

Poursuivant notre route, nous arrivons à Serches, **en Picardie**… Dans ces environs, **au lieu dit Mont-de-Soissons**, se tenait une importante commanderie de Templiers. Aujourd'hui, il ne reste plus que la chapelle, construction à l'aspect médiéval typique, c'est-à-dire lourd, solide, défensif. Cependant, quand on y regarde de plus près, on aperçoit un chapiteau où émergent un visage et des fioritures de pierre… Les Templiers avaient le sens discret du beau.

Quant les foires se terminaient, marchands et clients repartaient sur les routes, traînant avec eux des chariots chargés de marchandises ou transportant sous l'habit des bourses dangereusement alourdies. Alors, les Templiers veillaient. En effet, cet ordre religieux et militaire avait pour vocation d'assurer la sécurité sur les routes, celles du grand pèlerinage vers la Terre sainte, mais aussi celles des pèlerinages en Europe, et enfin celles des itinéraires commerciaux.

Un Saint-Sépulcre à Laon

La via Francigena nous conduit à Laon, en Picardie. Au cœur de la ville, les Templiers dressèrent, vers 1140, cette chapelle qui évoquait clairement Jérusalem, lieu de naissance de l'Ordre. En effet, cette forme octogonale se voulait la fidèle copie du Saint-Sépulcre, c'est-à-dire l'édifice élevé au-dessus de la grotte dans laquelle le corps du Christ avait été déposé après la descente de croix. Cette chapelle funéraire ne connut pas la gloire de son modèle : elle n'abrita qu'un médecin, un chapelain et deux commandeurs de l'Ordre du Temple. **(32, rue Georges-Ermant, Laon)**

9 Boulogne-sur-Mer inspiré par Caligula

Ce beffroi de Boulogne-sur-Mer fut, au moins pour sa base, le donjon du château construit par le comte de Boulogne Renaud de Dammartin afin de résister aux assauts des troupes royales du roi de France Philippe Auguste. En 1231, quand on construisit un nouveau château, le donjon fut cédé à la ville, qui en fit son beffroi. Il eut alors pour fonction d'abriter la cloche, le sceau et la charte de la commune, et devint un symbole des libertés communales. On dit que ce beffroi a été inspiré par le fameux phare de Caligula dont nous avons parlé il y a mille ans déjà…
(Place Godefroy-de-Bouillon, Boulogne-sur-Mer)

CARCASSONNE
Les hérétiques brûlés en place publique

De Boulogne-sur-Mer à Toulouse,
par les chemins de Saint-Jacques

La croix pour politique

Philippe Auguste parvient à reprendre à la couronne anglaise une grande part de ses possessions, et c'est le moment que choisit Othon IV, l'empereur germanique, pour franchir la frontière nord. Il croit pouvoir profiter de ces troubles pour avaler la France. Le choc a lieu le 27 juillet 1214 à quelques lieues au sud-est de Lille, dans le Nord-Pas-de-Calais, près du pont de Bouvines. Philippe Auguste parvient à faire fuir ses ennemis… La victoire de Bouvines sera longtemps considérée comme un acte constitutif de la « nation française », autour d'un souverain désormais maître et protecteur.

Et tous, en effet, ont besoin de protection, notamment les pèlerins qui entament la longue route vers le tombeau de saint Jacques à Compostelle, en Espagne… De Boulogne-sur-Mer, le jacquet – ainsi nomme-t-on le pèlerin allant vers Saint-Jacques – a marché vers Orléans, puis Blois, pour enfin atteindre le point de départ de la via Turonensis, la voie de Tours. Bifurquons alors pour rejoindre Bourges sur la via Lemovicensis, la voie du Limousin, un autre chemin du pèlerinage de Saint-Jacques qui part, lui, de Vézelay.

Nous arrivons à Bourges au début 1226, juste à temps pour rencontrer le roi Louis VIII, qui a succédé à son père Philippe Auguste. L'heure est importante car les armées réunies sous le commandement de la Couronne s'apprêtent à passer à l'attaque contre… le Languedoc ! Car l'hérésie cathare se répand sur la terre occitane, de Nîmes à Montpellier et de Béziers à Albi en passant par Toulouse. Les cathares refusent l'Ancien Testament, les sacrements chrétiens, l'adoration des saints et la dévotion de la croix… On ne peut laisser perdurer une telle folie !

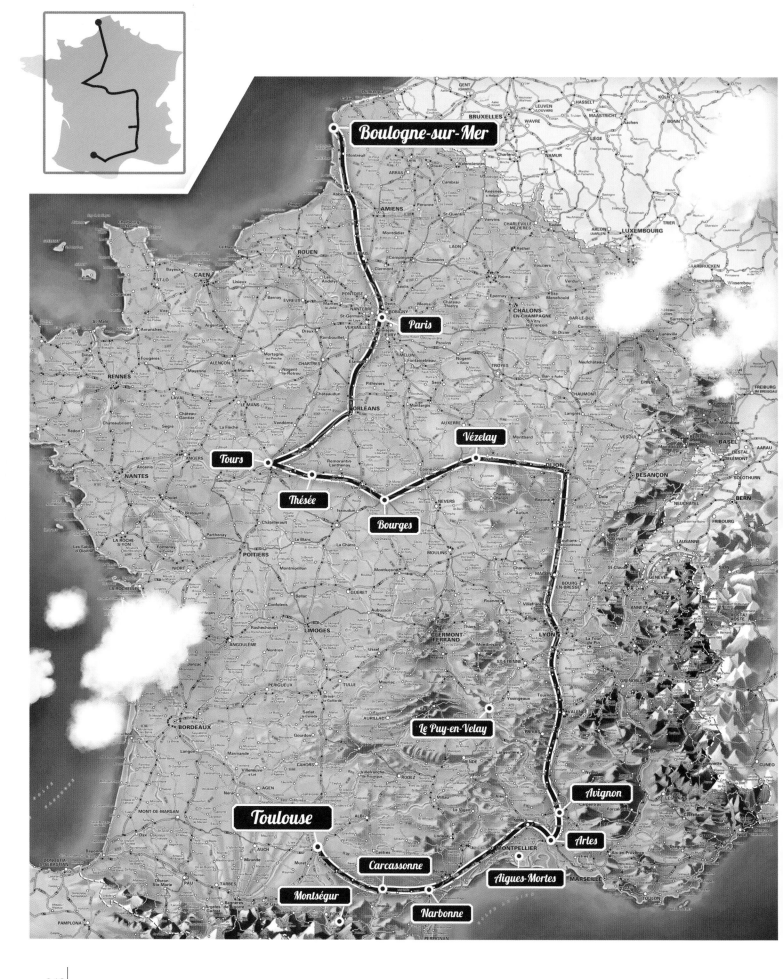

Boulogne-sur-Mer

Paris

Vézelay

Tours

Thésée

Bourges

Le Puy-en-Velay

Avignon

Toulouse

Arles

Carcassonne

Aigues-Mortes

Montségur

Narbonne

1 Le château du Hérissé

Philippe, un bâtard légitimé du roi Philippe Auguste, reçut en apanage le comté de Boulogne-sur-Mer. Parce qu'il avait les cheveux ébouriffés et un caractère hargneux, on l'appela Hurepel, Philippe Hurepel… c'est-à-dire Philippe le Hérissé. En ces temps incertains, il jugea prudent de relever les remparts gallo-romains de Boulogne et de faire construire un nouveau château défensif. Grande nouveauté : ce château fut construit sans donjon, on n'avait jamais vu ça ! Signe des nouvelles alliances : la ville ralliée à la Couronne n'avait plus à craindre les attaques du roi de France.

Il est toujours debout, ce château, avec ses 10 tours rondes. Il en a pourtant subi, des avanies et des changements… Au XVIe siècle, 5 tours ont été coulées dans d'épaisses maçonneries, pour se protéger de l'artillerie ; au XVIIe, la double ligne de fortifications a été supprimée ; au XIXe, le corps de garde a été détruit. Système défensif, puis caserne et enfin prison, le château du Hérissé est aujourd'hui un musée. **(Rue Bernet, Boulogne-sur-Mer)**

2 L'auberge des pèlerins

Voici le plus vieil hôtel de l'Hexagone… Ce relais dit des Mazelles est un impressionnant édifice de l'époque romaine posé sur l'ancienne voie reliant Tours à Bourges, **à 700 mètres du bourg de Thésée, dans le Loir-et-Cher (au bord de la départementale 176)**. Ici venaient se reposer pour la nuit les plus riches pèlerins en marche vers le tombeau de saint Jacques, en Espagne. Ces hôtels bien tenus offraient bonne chère et lits de plumes ; l'hôtesse s'efforçait de parler français, bourguignon, breton, germain, pour recevoir chacun de la manière la plus avenante, et les plus fortunés pouvaient même s'offrir une « chambre à feu », c'est-à-dire chauffée et confortable.

3 Fontfroide contre l'hérésie

Cette abbaye, près de Narbonne, reste une merveille méditerranéenne posée entre pins et cyprès. L'abbaye n'est plus abbaye depuis longtemps ; c'est aujourd'hui un lieu culturel, mais la beauté des pierres, la pureté architecturale du réfectoire et de la salle capitulaire nous transportent facilement au XIIIe siècle, quand résonnait ici la ferveur des chants cisterciens.

Le pieux pèlerin qui se dirigeait vers les Pyrénées pouvait faire halte dans cette abbaye située près d'une source qui lui donna son nom : *Fons frigida*, la source fraîche. Aux portes du pays cathare, Fontfroide est devenue en ce XIIIe siècle le fer de lance de la lutte contre l'hérésie. Nul n'oubliait ici que l'assassinat d'un prêtre de Fontfroide, Pierre de Castelnau, avait déclenché en 1208 la croisade contre les albigeois. **(Route départementale 613, Narbonne)**

4 ## Toulouse, le château retrouvé

En 1229, un traité imposa la paix française et sonna le glas de l'indépendance toulousaine : Raymond VII restait comte de Toulouse, mais il devait faire la chasse aux hérétiques cathares. L'annexion de la province à la France fut annoncée. En effet, Jeanne, la fille de Raymond, épousa Alphonse, le frère de Louis, le jeune roi de France. Par le jeu des héritages, Toulouse reviendrait donc à la Couronne.

La forteresse des comtes de Toulouse avait disparu depuis longtemps, mais en 2007, lorsqu'il fallut aménager de nouvelles places de stationnement devant le palais de justice de Toulouse, ces vestiges ont été mis au jour. Derrière les murs épais de calcaire et de briques, les comtes de Toulouse ont cru pouvoir protéger leur indépendance. **(3, place du Salin, Toulouse)**

5 ## Carcassonne, la croisade victorieuse

La cité de Carcassonne devint, avec Toulouse, le siège des inquisiteurs en lutte contre l'hérésie. Dès 1233, en effet, l'Inquisition prit le relais des soldats et des négociateurs pour extirper l'hérésie du Languedoc. Confiée à l'ordre monastique des frères prêcheurs de Saint-Dominique, et ne relevant que de l'autorité du Saint-Siège, elle fit passer la violence du champ de bataille à la population civile. La terreur s'installa : pour échapper à la torture et au bûcher, il fallut trahir, mentir, dénoncer.

Dans cette maison des inquisiteurs, le catharisme fut inlassablement pourchassé tout au long du XIIIᵉ siècle ; ici furent ordonnés les derniers bûchers, en 1325 et 1329. **(Rue du Four-Saint-Nazaire, Carcassonne)**

La cité de Carcassonne.

6 Aigues-Mortes, les rêves morts

Au fond, Aigues-Mortes est bien nommée : ici, je perçois les rêves effondrés d'un roi…
Nous avons pris la via Tolosana afin de suivre Saint Louis en direction d'Arles. Et
voici Aigues-mortes, premier port militaire français construit sur la Méditerranée par
Saint Louis. Devant ces remparts du XIIIᵉ siècle magnifiquement conservés, je songe aux
espoirs que le roi avait placés dans ses croisades en Terre sainte et qui n'ont débouché
que sur sa mort à Tunis, en 1270.

7 Montségur, la dernière citadelle cathare

À une centaine de kilomètres au sud de Toulouse, dans un château dressé sur les hauteurs de **Montségur, en Midi-Pyrénées**, se regroupèrent les cathares les plus déterminés… En 1242, 10 000 soldats du roi vinrent faire le siège de la citadelle. Neuf mois d'encerclement furent nécessaires avant d'entamer d'ultimes négociations. Les cathares qui feraient pénitence seraient libérés, les récalcitrants, livrés aux flammes. Quelques-uns abjurèrent, mais la plupart s'apprêtèrent à mourir. Le 16 mars, une longue procession se dirigea vers le grand bûcher dressé au pied de Montségur. 210 cathares périrent sur le bûcher pour ne pas renier leur foi.

8 Le guide du pèlerin

Via Turonensis, via Lemovicensis, via Tolosana, via Podiensis…
4 routes mythiques qui, de France, conduisaient vers le tombeau de
saint Jacques, en Espagne. Elles partaient de Tours, Vézelay, Le Puy-
en-Velay et Arles.

Ces itinéraires nous sont livrés par ce manuscrit du XIIe siècle : *Le
Guide du pèlerin de Saint-Jacques*. Ce document, qui fait un peu dans le
reportage vécu et les choses vues, nous apprend que les Poitevins sont
« gent vigoureuse, prodigue de son hospitalité », qu'en Bordelais « le
vin est excellent, mais le parler fruste », que la Lande « manque de
tout », que les Gascons se révèlent « verbeux et moqueurs », que les
Basques se montrent « dépravés et pervers »…

Ces 4 villes de départ indiquent géographiquement les limites de la
grande Aquitaine, celle de l'empire wisigoth, et ce n'est sans doute
pas un hasard. Si, comme certains historiens le pensent, ce guide a
été commandité par Alphonse VII, roi de Galice – un des royaumes
espagnols –, il devient un instrument de
propagande destiné à montrer aux peuples
et aux comtes d'Aquitaine que la
protection de l'Espagne leur est assurée.

De Toulouse en Avignon,
par le chemin de Regordane

Le soleil se lève à l'est

C'est la fin des croisades en Terre sainte ; désormais il faut mourir pour la Guyenne. Cette région aux contours flous – mais avec Bordeaux pour capitale – est fort disputée. Pour cause de mariages, les rois d'Angleterre s'en estiment les souverains, mais les souverains de France jugent que cette perle fait partie de leur couronne. En 1303, un traité est signé entre Philippe le Bel et Édouard Ier : la province est restituée au roi d'Angleterre, qui accepte de se considérer, dans la région, comme le vassal du roi de France ; il vient lui rendre l'hommage traditionnel, lui jurant fidélité en mettant ses mains dans les siennes.

Presque vingt ans plus tard, le nouveau roi d'Angleterre, Édouard II, s'abstient de rendre cet hommage à Charles le Bel, le roi de France ! Eh bien, cette affaire d'hommage à rendre ou non va être la cause principale de la guerre de Cent Ans… qui va en durer cent seize.

Laissons la Guyenne et continuons la route vers l'est, sur cet itinéraire qui n'est autre que le troisième chemin des pèlerins de Saint-Jacques. Au Puy-en-Velay, nous sommes arrivés à l'extrémité de cette voie ; nous prenons le chemin de Regordane, qui se dirige vers le delta du Rhône, et nous entrons dans Avignon, terre des papes… Eh oui, les papes ont quitté Rome pour s'installer au bord du Rhône.

Durant soixante-dix ans, Avignon est le siège du trône de saint Pierre. Et puis, tout se complexifie. En cette fin de XIVe siècle, deux obédiences divisent le catholicisme, et chacune soutient son pape. Alors où établir le Saint-Siège ? Retour à Rome ou maintien en Avignon ? Puisque les deux villes ont chacune leurs partisans, il y aura deux papes : Clément VII et Urbain VI.

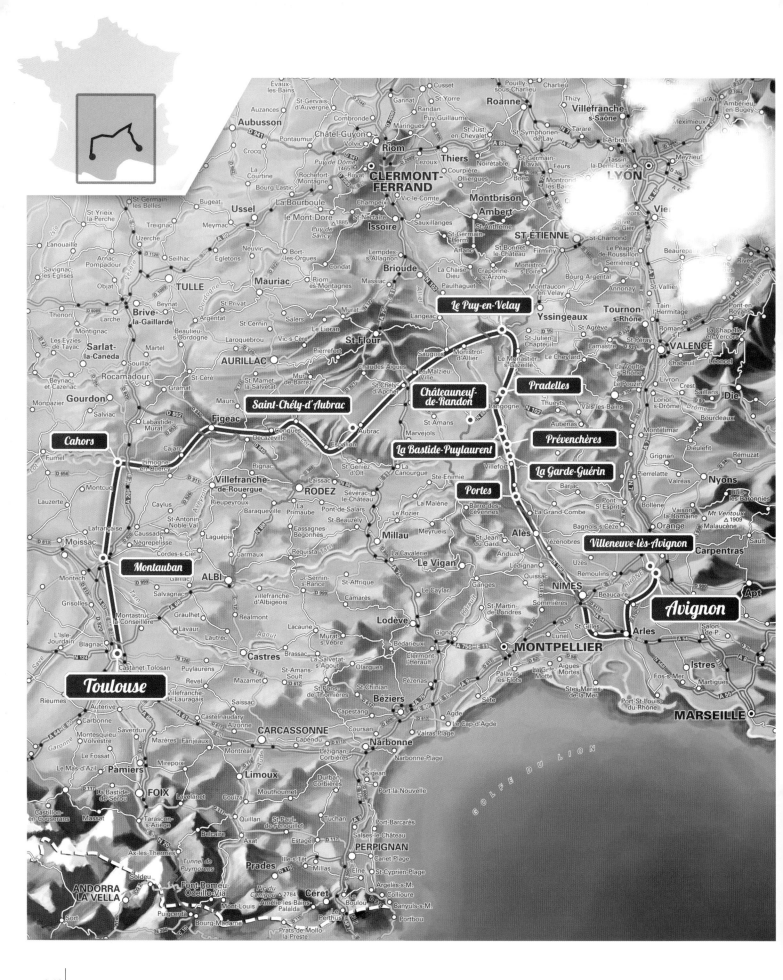

1 **Un palmier à la mode toulousaine**

Ce surprenant « palmier » vert et rouge est un pilier de 28 mètres aux 22 nervures qui soutiennent le chœur de l'église du couvent des Jacobins. Les foules, terrifiées par la peste noire, les exactions anglaises et tous les fléaux du siècle, se pressaient ici pour implorer la grâce divine. **(Parvis des Jacobins, Toulouse)**

2   Les éclats de saint Thomas

En 1368, la dépouille du dominicain saint Thomas d'Aquin, mort en Italie presque un siècle auparavant, vint échouer dans ce couvent des Jacobins par la volonté du pape Urbain V : *« Comme saint Thomas brille entre les docteurs par la beauté de son style et de ses sentences, de même cette église de Toulouse surpasse en beauté toutes les autres églises des frères prêcheurs. Je la choisis pour saint Thomas et je veux que son corps y soit placé »*, dit le souverain pontife.

Cette église de Toulouse fut élevée entre les XIIIᵉ et XIVᵉ siècles par les dominicains, dans le but avoué de contrer « l'hérésie cathare ». Ce joyau de l'art gothique méridional a été entièrement construit en briques roses, symbole fort de l'identité toulousaine.

3   Les caves du Prince Noir

En 1363, le duché anglais de Guyenne s'étendait de Bordeaux à Montauban. Les Montalbanais durent accepter leur nouveau seigneur, Édouard de Woodstock, fils du roi d'Angleterre, « le Prince Noir » comme on l'appelait en raison de la cape sombre qui recouvrait son armure. Or, le Prince Noir séduisit ses sujets montalbanais ; il se révéla un administrateur habile et entreprit la construction d'un château au bord du Tarn. Les habitants de Montauban furent fort désappointés d'apprendre, en janvier 1371, que le cher Édouard, malade de la dysenterie, retournait définitivement en Angleterre. Ce fut la fin de la tranquillité guyennaise. La guerre reprit sur ce mot d'ordre effrayant répété par les Français :
– Mieux vaut pays pillé que terre perdue !
Et Montauban redevint française.
Le château que le Prince Noir voulut se faire construire ne fut jamais terminé, seuls les soubassements avaient été posés. On peut juger de la magnificence qu'aurait déployée le château achevé en contemplant ces immenses voûtes d'ogives…
(19, rue de l'Hôtel-de-Ville, Montauban)

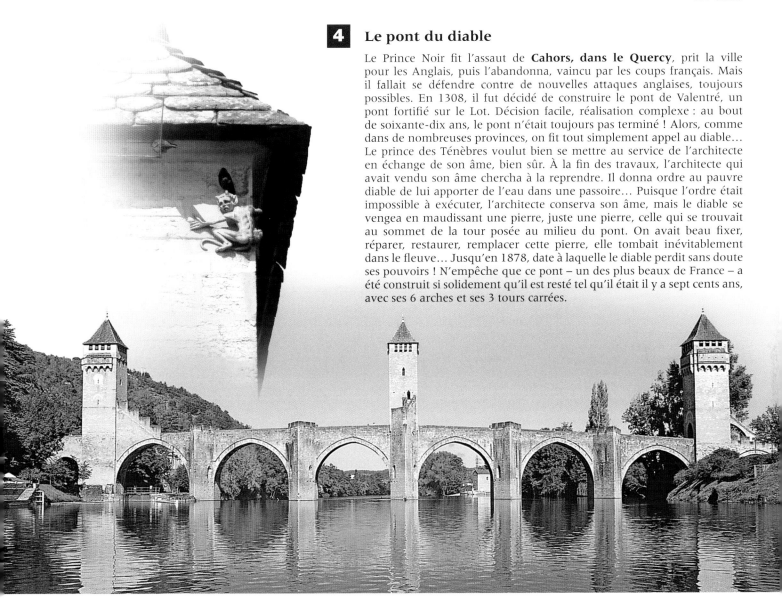

4 Le pont du diable

Le Prince Noir fit l'assaut de **Cahors, dans le Quercy**, prit la ville pour les Anglais, puis l'abandonna, vaincu par les coups français. Mais il fallait se défendre contre de nouvelles attaques anglaises, toujours possibles. En 1308, il fut décidé de construire le pont de Valentré, un pont fortifié sur le Lot. Décision facile, réalisation complexe : au bout de soixante-dix ans, le pont n'était toujours pas terminé ! Alors, comme dans de nombreuses provinces, on fit tout simplement appel au diable…
Le prince des Ténèbres voulut bien se mettre au service de l'architecte en échange de son âme, bien sûr. À la fin des travaux, l'architecte qui avait vendu son âme chercha à la reprendre. Il donna ordre au pauvre diable de lui apporter de l'eau dans une passoire… Puisque l'ordre était impossible à exécuter, l'architecte conserva son âme, mais le diable se vengea en maudissant une pierre, juste une pierre, celle qui se trouvait au sommet de la tour posée au milieu du pont. On avait beau fixer, réparer, restaurer, remplacer cette pierre, elle tombait inévitablement dans le fleuve… Jusqu'en 1878, date à laquelle le diable perdit sans doute ses pouvoirs ! N'empêche que ce pont – un des plus beaux de France – a été construit si solidement qu'il est resté tel qu'il était il y a sept cents ans, avec ses 6 arches et ses 3 tours carrées.

La dômerie de toutes les peurs

À Saint-Chély-d'Aubrac, en Midi-Pyrénées, un vicomte de Flandre nommé Adalard, revenant du pèlerinage d'Espagne, chercha au bord de la route un endroit pour passer la nuit. Il avisa une grotte et voulut s'y installer quand, horreur, il découvrit dans l'obscurité de la caverne un monceau de têtes tranchées. Des têtes de pèlerins décapités pour êtres volés ! Alors Adalard fit un vœu : il jura de construire à cet emplacement une dômerie, c'est-à-dire un domaine ecclésiastique et défensif qui pourrait accueillir, protéger et soigner les voyageurs.
Cette dômerie s'est encore fortifiée en ce xive siècle, et le voyageur d'aujourd'hui retrouve l'étape de Saint-Chély presque comme pouvait la voir le marcheur du Moyen Âge… Voici l'église Notre-Dame-des-Pauvres, avec son mur épais de 2 mètres ! **(Au bord de la départementale 987)**

6 L'abri des voyageurs

À Pradelles, en Auvergne, un hôpital dédié à saint Jacques rappelle la vocation d'accueil des cités-relais posées le long de la Regordane. La chapelle de l'établissement est une construction postérieure au XIVᵉ siècle, mais elle conserve sa particularité initiale : elle s'étend au-dessus de la route, qu'elle enjambe par un passage voûté sous lequel les voyageurs peuvent s'abriter tout en restant à l'extérieur… On n'est jamais trop prudent !

7 La dernière victoire de Du Guesclin

La Regordane passe à quelques kilomètres de **Châteauneuf-de-Randon, en Languedoc-Roussillon**, village connu pour la mort de Bertrand Du Guesclin. En 1380, lors du siège de l'endroit tenu par les Anglais, celui-ci aurait succombé à une congestion cérébrale après avoir bu trop d'eau froide sous le soleil de juillet. Cette tour à demi éboulée céda devant les troupes de Du Guesclin, dernière victoire du grand connétable des armées du royaume qui a si vaillamment protégé la France des Anglais. On retrouve des traces d'un escalier taillé dans le granit, mais le moellon et les pierres de taille ont été réutilisés pour élever l'église et construire quelques maisons du village.

8 Quand passent les charrois

Pourquoi le chemin de Regordane ? Ce terme pourrait venir de l'espagnol *regoldana*, « châtaignier sauvage ». En tout cas, il a été utilisé durant tout le Moyen Âge pour nommer le tracé qui longeait le Rhône, descendait de l'Auvergne au Languedoc, et se prolongeait jusqu'au port de Saint-Gilles, dans le Gard. **Entre la Bastide-Puylaurent et Prévenchères, dans le Languedoc-Roussillon**, la voici, cette Regordane, avec ses ornières creusées dans la roche par le passage des charrois.

9 La garde de la route

Pour protéger la Regordane, il fallait des fortifications, des remparts, des tours de guet… C'est pourquoi a été créé **La Garde-Guérin, en Languedoc-Roussillon**, village fortifié et château fort dont il reste la tour.

10 Le vaisseau des Cévennes

Vaisseau immobile sur les étendues terrestres, ce **château de Portes, dans le Gard**, semble encore prêt à appareiller sur la Regordane. En fait, il assurait la sécurité dans le passage des Cévennes, et s'il a l'air bien solide, il a longtemps été un colosse aux pieds d'argile. À la suite de l'exploitation intensive des mines de charbon, sous le château, les terrains devenus meubles s'effondrèrent, et le site dut être évacué en 1929. Heureusement, le terrain a été stabilisé en 1960 et le château restauré une dizaine d'années plus tard.

11   Un palais pour les papes à la française

On y fait du théâtre, il attire les touristes, mais il est tout de même bizarre, ce palais des papes d'**Avignon**. On peut dire qu'il est grand, qu'il est imposant, on peut dire que dans sa cour la voix porte si bien qu'on en a fait une scène pour déclamer les textes classiques… Mais quelle drôle d'allure, avec sa tour carrée, ses courbes hispanisantes et ses arches romanisantes ! Peut-être souffre-t-il un peu de la succession des papes, chacun ayant voulu apporter sa pierre à l'édifice et le transformer à son idée. Néanmoins, tel quel, ce palais gothique offre au visiteur une vue imprenable sur le XIVe siècle.

12   Les papes menacés

Après Avignon, en traversant le Rhône, nous arrivons à **Villeneuve-lès-Avignon**. Ce fort Saint-André fut terminé sous Charles V et avance ses deux grosses tours vers les États du pape. Cette forteresse était un signe, un avertissement, une menace : les papes d'Avignon devaient rester dans les limites de leurs possessions et ne jamais oublier qu'ils étaient sous la haute surveillance de leur principal soutien : la France.

D'Avignon à Orléans,
par les routes des postes de Louis XI

Les chevaucheurs de l'Araignée

Si Benoît XIII, le dernier des papes d'Avignon, s'est réfugié en Aragon en 1418, la grande affaire du siècle reste l'occupation anglaise. Jeanne d'Arc incite le roi Charles VII à « bouter les Anglais hors de France ». Bientôt, la Normandie est récupérée, la Guyenne soumise, Bordeaux reconquise… En 1453, la guerre de Cent Ans est terminée. Cette même année, loin de l'Hexagone, Gutenberg imprime à Mayence sa première Bible et les troupes ottomanes s'emparent de Constantinople : le Moyen Âge s'achève pour laisser place à la Renaissance.

Ces temps nouveaux, Louis XI les exprime aussi sur les routes. Vers 1470, des relais sont établis sur les grands chemins du royaume. Le message royal peut ainsi parcourir dans la journée plus de 90 kilomètres sur bonne route, distance époustouflante pour l'époque.

Pour une entreprise dont la rapidité est la vocation, on cherche un mot rapide : poste. Ce terme désigne d'abord la place du cheval dans l'écurie, il qualifie bientôt le relais lui-même, puis se transforme au cours des siècles en fonction de l'évolution du service offert : postillon, postier, malle-poste, timbre-poste… et même finalement banque postale.

En suivant ces relais, nous arrivons à Orléans. Éclatante dans son opulence, la ville fourmille et s'affaire. Ils ont raison d'en profiter, les Orléanais, car bientôt un vent de réforme va souffler sur la chrétienté et balayer cette tranquille prospérité…

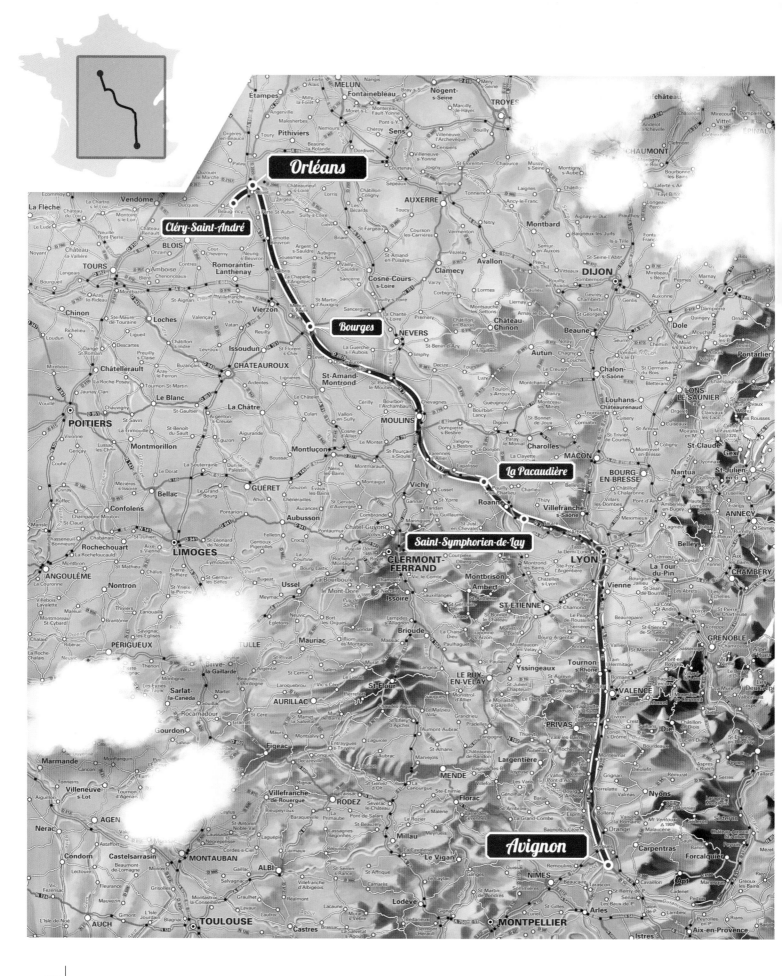

Chez le bon roi René

Après avoir accueilli les papes, Avignon fut régentée par le roi René. Ce gros bonhomme devenu par héritage roi de Naples, roi de Sicile et roi de Jérusalem est surtout le comte de Provence. Il établit sa capitale à Aix-en-Provence, mais vint parfois dans cette maison d'Avignon, située au cœur même de la ville. **(6, rue Pierre-Grivolas, Avignon)**
Louis XI n'eut de cesse de déposséder le roi René de sa Provence. Les deux souverains s'entendirent pour régler le problème par la négociation. Pour acquérir la Provence, le roi de France proposa 60 000 livres à verser en six ans. La première année, la France ne paya que 5 000 livres sur les 10 000 annoncées. En fait, Louis XI cherchait à gagner du temps : le roi René était un vieillard sanguin, obèse, congestionné. Il suffisait d'attendre un peu. Effectivement, le bon René s'éteignit en juillet 1480, sans avoir jamais touché son argent. Louis XI a acheté la Provence pour 5 000 livres… Une affaire !

Louis XI chez Perrault

Les « bottes de sept lieues » étaient les chausses que portaient les postillons chevauchant d'un relais à l'autre… pour couvrir 7 lieues. Dans *Le Petit Poucet*, le conte de Charles Perrault publié à la fin du xviiᵉ siècle, lorsque l'enfant chausse les « bottes de 7 lieues » dérobées à l'ogre, le récit fait allusion aux relais de Louis XI… Par la magie des fées, ces bottes permettent dans les récits fantastiques de franchir 7 lieues en une seule enjambée.

Une tête noire pour Louis XI

Rabelais, Molière, Rousseau, Casanova… Ils sont tous descendus dans ce relais de la Tête-Noire, à Saint-Symphorien-de-Lay, en région Rhône-Alpes, étape créée par Louis XI pour acheminer le courrier. Ce bâtiment représentait « le logis noble », c'est-à-dire la halte réservée aux voyageurs qui avaient des capacités financières suffisantes pour disposer d'une chambre confortable. Mais pourquoi la Tête-Noire ? Dans la région, la légende rapporte que ce surnom désignait, pendant la guerre de Cent Ans, un bandit sarrasin qui semait ici la terreur. Mais ses exactions furent pardonnées, car le bandit rendit l'âme en bon chrétien.
(4, rue de la Tête-Noire, Saint-Symphorien-de-Lay)

4 Au rendez-vous des baladins

En suivant l'ancien chemin – parcours qui se confond aujourd'hui avec la fameuse Nationale 7 –, nous arrivons à **La Pacaudière, en région Rhône-Alpes**. Construite vers 1420, cette maison Morin servit de relais : ici on se restaurait, on trouvait une couche et l'on changeait de chevaux. On dit que c'était le rendez-vous des baladins, des montreurs d'ours et autres acrobates venus arpenter les villages pour faire découvrir leur art. Ici aussi, il fallait payer pour avoir le droit de poursuivre sa route – péage supprimé en 1794. Plus tard, ces murs abritèrent la maréchaussée.

5 Azidil vous salue bien

Nous nous arrêtons ensuite, un peu médusés, devant ce « Petit Louvre », un nom qui met en avant le luxe de l'endroit. Cette demeure à la tour protectrice accueillait les voyageurs au temps où Louis XI organisait ses relais. La construction a été remaniée au début du XVIᵉ siècle et les styles gothique et Renaissance s'y mêlent ; mais à l'intérieur, les murs n'ont pas bougé et un graffiti tracé par un hôte de passage nous relie directement au passé : « Azidil, l'homme de bien, 1546. » **(Place du Petit-Louvre, La Pacaudière)**

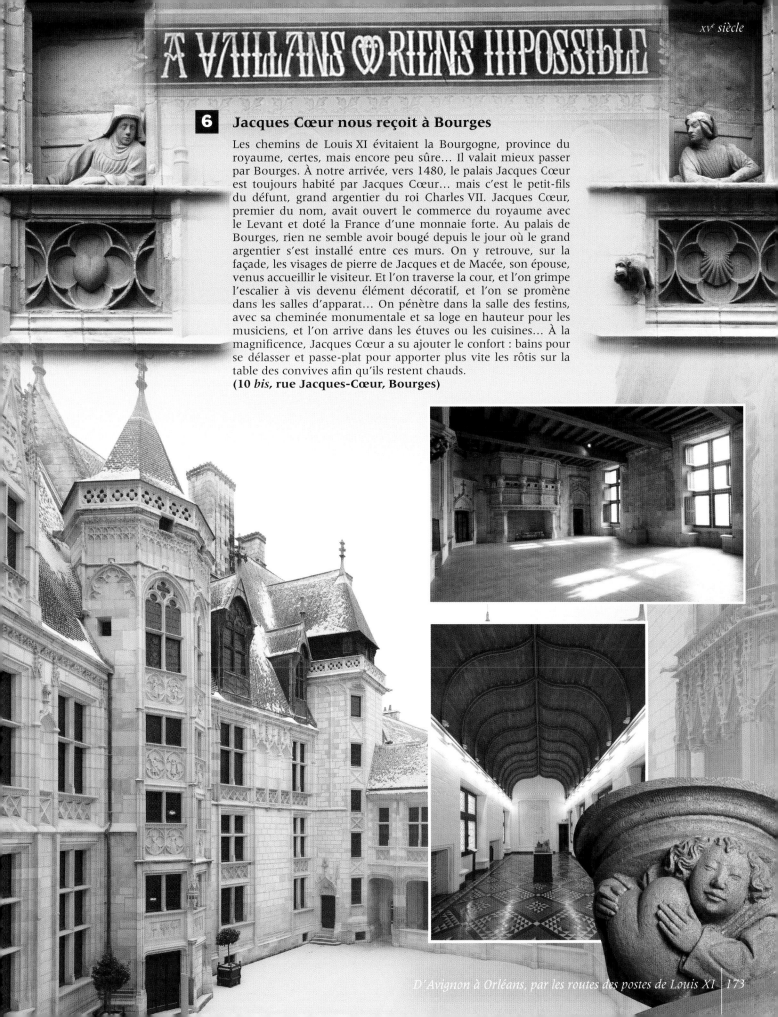

6 Jacques Cœur nous reçoit à Bourges

Les chemins de Louis XI évitaient la Bourgogne, province du royaume, certes, mais encore peu sûre… Il valait mieux passer par Bourges. À notre arrivée, vers 1480, le palais Jacques Cœur est toujours habité par Jacques Cœur… mais c'est le petit-fils du défunt, grand argentier du roi Charles VII. Jacques Cœur, premier du nom, avait ouvert le commerce du royaume avec le Levant et doté la France d'une monnaie forte. Au palais de Bourges, rien ne semble avoir bougé depuis le jour où le grand argentier s'est installé entre ces murs. On y retrouve, sur la façade, les visages de pierre de Jacques et de Macée, son épouse, venus accueillir le visiteur. Et l'on traverse la cour, et l'on grimpe l'escalier à vis devenu élément décoratif, et l'on se promène dans les salles d'apparat… On pénètre dans la salle des festins, avec sa cheminée monumentale et sa loge en hauteur pour les musiciens, et l'on arrive dans les étuves ou les cuisines… À la magnificence, Jacques Cœur a su ajouter le confort : bains pour se délasser et passe-plat pour apporter plus vite les rôtis sur la table des convives afin qu'ils restent chauds.

(10 *bis*, rue Jacques-Cœur, Bourges)

Louis XI face à face

Louis XI, mort en 1483, a voulu reposer ici, dans le sous-sol de la nef de la **basilique Notre-Dame à Cléry-Saint-André**, près d'Orléans, cette basilique qu'il a fait reconstruire, qu'il a tant aimée et où il a si souvent prié.

Un premier monument de cuivre et de bronze présentait le roi en prière, mais la sculpture fut détruite par les huguenots en 1562. Soixante ans plus tard, un Louis XI de marbre, toujours abîmé dans la prière, vint remplacer la statue disparue. En 1792, le monument fut abattu, et les révolutionnaires trouvèrent dans le caveau des fragments de sarcophages, des lambeaux de tissu, des ossements et une « tête coupée en deux ». En 1889, un sarcophage en pierre sans inscription fut mis au jour. Il contenait des restes de squelettes posés en vrac. Alors on choisit deux crânes et on les attribua arbitrairement à Louis XI et à son épouse Charlotte de Savoie. Aujourd'hui, le visiteur peut voir ces deux crânes exposés en vitrine.

8   L'Histoire en concentré

Cette tour Blanche à Orléans est plus qu'une tour, c'est un concentré d'Histoire ! Elle a été romaine, on l'a vu, elle s'est dressée contre les barbares, elle a accueilli Jeanne d'Arc, elle a été transformée par l'esthétique imposée au temps de la Renaissance, elle est devenue, enfin, une paisible habitation.
(13 *bis*, rue de la Tour-Neuve, Orléans)

D'Orléans à La Rochelle,
par les chemins de *La Guide*

Entre renaissance et crépuscule

Dans les premiers jours du mois de mars 1518, Orléans est en fête : François, dauphin de France, premier fils du roi François Iᵉʳ, vient de naître. Dans la joie ambiante, un petit événement passe totalement inaperçu… Un coche venu de Paris vient d'entrer dans la ville. Ce chariot tiré par 6 chevaux fait voyager une dizaine de personnes. Pour la première fois une ligne régulière permet de se déplacer pour quelques sous.

Nous ne prendrons pas ce coche, nous emprunterons celui qui se dirige vers le val de Loire, pour nous arrêter à Chambord… François Iᵉʳ transforme ce lourd donjon carré et ces massives tours de défense en cœur somptueux de la Renaissance artistique à la française.

Hélas, François Iᵉʳ, qui fait flamboyer dans le royaume la magnificence de l'art, se révèle nettement moins inspiré quand il prétend sauver les âmes de la damnation éternelle. Car un vent de réforme souffle sur la chrétienté. Ces idées nouvelles, qui prêchent pour un retour à une Église débarrassée de ses saints et de sa pompe, séduisent une partie de la noblesse, de la magistrature et de la haute bourgeoisie.

Notre périple va se poursuivre, désormais, sur les routes qui mènent aux guerres de Religion. Il faudra attendre plus de vingt ans et le règne d'Henri IV pour voir la paix civile s'instaurer. Le 30 avril 1598, Henri IV signe l'édit de Nantes, qui installe partiellement la liberté de culte. Un fragile équilibre est instauré. Pour combien de temps ?

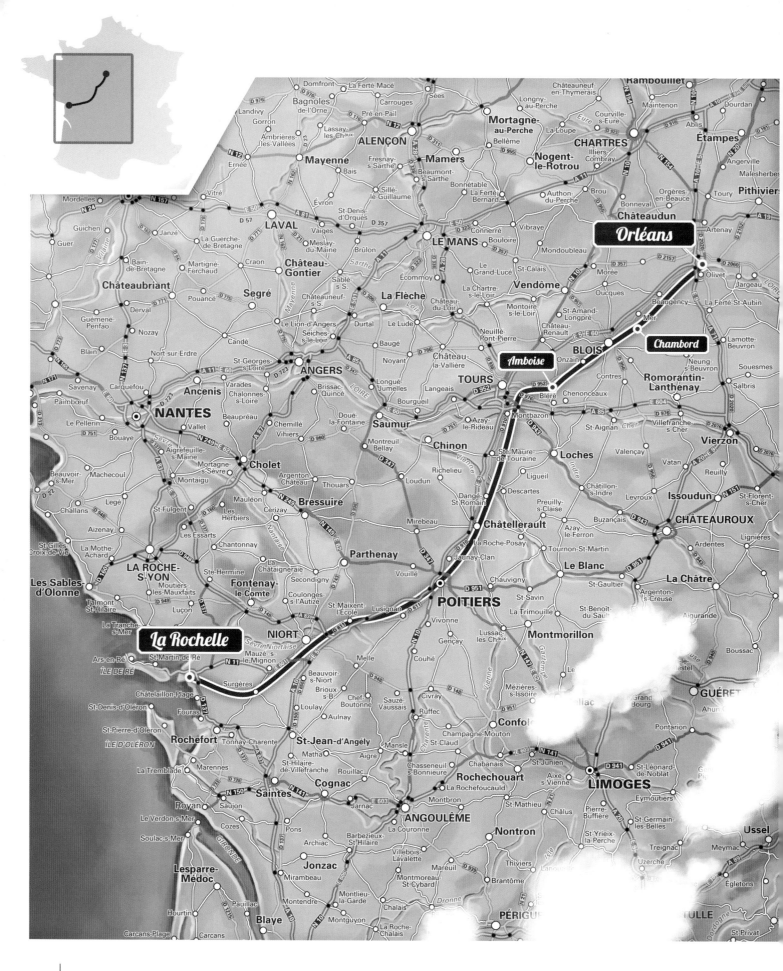

1 Calvin à Orléans

Né en Picardie, prêcheur de la Réforme à Genève, Jean Calvin a étudié le droit à Orléans. De 1526 à 1529, éloigné encore des préoccupations protestantes, il travailla dans cette « salle des thèses », édifice élevé en 1411, qui devint en 1565 bibliothèque pour étudiants et reste aujourd'hui l'ultime vestige de la première université de la ville. **(Rue Pothier, Orléans)**

Chambord, le rêve d'un roi   2

François Ier nous a laissé Chambord en héritage, rêve blanc posé sur les damiers verts du parc. Pour satisfaire aux goûts précieux de l'époque, le roi transforma l'ancien donjon carré et les massives tours de défense ; les solides et rudimentaires constructions du Moyen Âge cédèrent la place à un esthétisme élégant de colonnes qui dressent vers le ciel 4 tours cylindriques et des toitures tout hérissées de tourelles, de cheminées, de lucarnes. Pendant des années, le lieu fut un immense chantier animé par près de 2 000 ouvriers, et les travaux ne furent terminés qu'en 1547, année de la mort du roi.

3 L'escalier magique

Pour Chambord, François Ier, qui n'avait alors que 24 ans, sollicita le génie de Léonard de Vinci, qui avait quitté l'Italie pour venir se placer sous la protection du roi de France. Soucieux de répondre à l'ambition architecturale du souverain, le Florentin dessina cet escalier à double révolution, deux volées entremêlées, avec un noyau central, ajouré, qui permettait aux courtisans de s'apercevoir d'une hélice à l'autre, mais sans jamais se croiser.

4 **Dans l'intimité de Léonard**

Installé au manoir du Cloux par François Ier, Léonard de Vinci, richement pensionné, put se consacrer pleinement à la peinture, l'écriture, la mécanique... Le manoir du Cloux est aujourd'hui le château du Clos-Lucé. La demeure a été un peu agrandie par la suite, mais on peut encore imaginer la vie de Léonard de Vinci au soir de son existence. Ici, le grand Léonard a imaginé ses dernières inventions... **(2, rue du Clos-Lucé, Amboise)**

La tombe présumée **5**

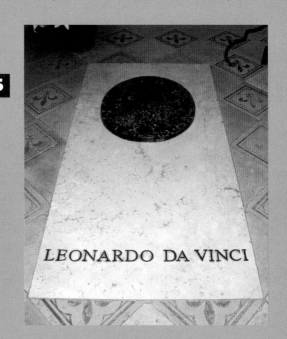

Léonard de Vinci mourut en 1519, et fut inhumé dans la collégiale Saint-Florentin du château royal d'Amboise. En 1802, cette collégiale, qui avait souffert de la Révolution, disparut sous les coups des démolisseurs, les pierres et les plombs étant récupérés pour restaurer le château. La tombe de Léonard disparut-elle ainsi ? Peut-être pas. Soixante ans plus tard, l'écrivain Arsène Houssaye, fouillant les restes de Saint-Florentin, découvrit une dalle où étaient gravées les lettres EO DUS VINC, il creusa encore et mit au jour un crâne aux dimensions impressionnantes... Pour Houssaye, le doute n'existait pas : VINC... 4 lettres qui ne pouvaient que désigner Vinci ! Chacun voulut croire que les restes du maître avaient été retrouvés et, en 1874, ces ossements furent déposés dans la chapelle Saint-Hubert du château d'Amboise. On peut s'y recueillir... sans être vraiment certain de l'identité de la dépouille qui repose sous la pierre.

6 Les pendus du balcon

Sur toutes les merveilles du château d'Amboise plane l'ombre du crime et de l'intolérance… Au premier étage, ces rambardes en fer forgé dominent la Loire : c'est le balcon des Pendus, endroit sinistre où furent suppliciés bon nombre des conjurés protestants. En effet, pour que tous tremblent désormais devant la menace de la répression, des cadavres furent accrochés dans les rues, et jusqu'à ces balustrades. Avant d'avoir le cou tranché, l'un des condamnés trempa ses mains dans le sang de ses compagnons, les leva vers le ciel et lança ce cri :

– Seigneur, voici le sang de tes enfants. Tu en feras vengeance !

7 « *La* » *Guide* du Routard

Elle vient de loin, l'habitude d'emporter dans ses bagages un guide qui nous permettra de tout connaître du pays à visiter… Dans la deuxième moitié du xvie siècle, déjà, le promeneur disposait d'un recueil destiné à le conduire dans ses déplacements : *La Guide des chemins de France.* « La » guide, puisque le mot était alors indifféremment masculin ou féminin. L'auteur de cet ouvrage novateur était un imprimeur nommé Charles Estienne, qui avait soigneusement parcouru le royaume – ou avait, au moins, recueilli des témoignages édifiants de voyageurs. Ce pays, Estienne ne le voyait non pas comme un hexagone, mais comme un losange que l'on pouvait traverser à cheval en 22 jours dans sa hauteur et 19 dans sa largeur. Voici donc 283 itinéraires pour explorer ce losange, et l'auteur ne se contentait pas d'indiquer la voie directe d'un point à un autre, il offrait le choix à ses lecteurs : on pouvait opter pour la route le plus rapide, le chemin le plus charmant ou l'itinéraire le plus pittoresque.

8 La maison du protestant

La Rochelle reste le symbole des guerres de Religion, parce qu'elle est protestante, La Rochelle ! Elle est tellement protestante que le 9 janvier 1568 le maire protestant François Pontard souleva ses administrés contre les catholiques de la ville. À 6 heures du matin, accompagné de son lieutenant général, il parcourut la ville à cheval et appela le peuple aux armes. Les foules se ruèrent dans les églises, arrachèrent les images, brisèrent les statues. Terrorisés, les Rochelais catholiques durent se résoudre à prendre la fuite Dès lors, La Rochelle, ville libre, se déclara république indépendante et protestante !

Cette splendide bâtisse Renaissance, dite « la maison d'Henri II » en raison de son style, fut la demeure du maire Pontard et le centre de l'insurrection. **(11, rue des Augustins, La Rochelle)**

9 Ces prêtres qu'on assassina

Cette tour de la Lanterne, à La Rochelle, haute de 70 mètres,
fut appelée un temps « la tour des prêtres ». Sinistre souvenir
de 1568, quand 13 prêtres catholiques furent précipités dans la
mer. Finalement, on redonna au monument son nom originel,
la Lanterne, puisqu'il fut un phare avant de servir de prison. À
l'intérieur, des graffitis racontent trois siècles d'enfermement
durant lesquels se côtoyèrent ou se succédèrent ici des religieux
catholiques, des corsaires britanniques, des pirates hollandais
et des marins espagnols. **(Rue sur les Murs, La Rochelle)**

De La Rochelle à Nantes,
par les chemins du littoral

La face sombre du Grand Siècle

La France est déchirée entre les catholiques avec leurs villes, leur armée, leur gouvernement, et la république protestante de La Rochelle qui conserve ses places fortes, ses troupes, sa diplomatie. Louis XIII veut mettre fin à cette situation qui se prolonge depuis plus de cinquante ans. Le 26 octobre 1628, après quatorze mois de siège, La Rochelle demande grâce. La république protestante a cessé d'exister.

Un nouveau soleil se lève : Louis XIV. Jean-Baptiste Colbert, son contrôleur général des Finances dès 1665, cherche à développer le commerce et à rendre les échanges plus faciles. Il crée les commissaires des Ponts et Chaussées pour planifier l'aménagement des routes.

On a tant raconté la grandeur du Roi-Soleil, la guerre et son panache ; si l'on observait l'envers du décor ?

Nous arrivons à Nantes en 1685. Sur les quais de la Loire, les caisses et les ballots s'entassent… L'Atlantique est à quelques lieues seulement, et les trois-mâts glissent lentement sur les eaux du fleuve pour aller, plus loin, chercher la haute mer et voguer vers les Indes ou les Antilles.

1685, année sombre du Grand Siècle. Au mois de mars, le roi promulgue le Code noir qui régente l'esclavage ; au mois d'octobre, il révoque l'édit de Nantes, ouvrant la chasse aux protestants. C'est l'éclipse du Roi-Soleil.

Royaliste île de Ré

Benjamin de Rohan, duc de Soubise, commandant des forces protestantes, savait que la résistance contre les armées du roi ne pourrait pas se prolonger très longtemps. Il lui fallait une force de frappe nouvelle, des alliés puissants. Il se tourna alors vers l'Angleterre, toujours prompte à aider les ennemis du roi de France. Parti pour Londres, il obtint le soutien de Georges Villiers, duc de Buckingham, qui arma aussitôt une centaine de navires. En juillet 1627, une escadre anglaise cingla vers La Rochelle pour soutenir les insurgés protestants. Les troupes anglaises débarquèrent sur une plage de l'île de Ré… L'île était tenue par les troupes royales, qui lancèrent une attaque contre les colonnes anglaises. Mais, en nombre insuffisant, les soldats du roi durent battre en retraite. C'est par la faim que les Anglais pensèrent venir à bout des défenseurs français : ils organisèrent un blocus.

Début octobre, à la faveur de la nuit, 29 canots chargés de vivres et de soldats parvinrent à forcer ce blocus… Au matin, les Français brandissaient jambons et chapons au bout de leurs piques ! De plus, 1 500 hommes venaient occuper ce fort de La Prée que l'on voit toujours… Certes, il a été en partie rasé à la fin du XVIIe siècle pour des raisons militaires, mais ces fortifications en étoile sont bien celles qu'ont défendues les soldats de Louis XIII. **(Route de Rivedoux, La Flotte-en-Ré)**

La balise du siège

La digue voulue par Richelieu pour isoler La Rochelle a disparu depuis longtemps. Pourtant, à l'entrée du chenal d'accès au port des Minimes et au Vieux-Port, vous verrez cette tour balise rouge, fonctionnelle et sans charme… Elle indique l'emplacement de la digue dressée pour affamer les protestants.

3

La colère de Jean Guiton

En 1628, dans La Rochelle assiégée, l'armateur Jean Guiton fut nommé maire de la ville. Il brandit un poignard et fit ce serment solennel :
– Je n'accepte cette charge qu'à la condition d'enfoncer ce poignard dans le cœur du premier qui parlera de se rendre. Qu'on s'en serve contre moi si jamais je songe à capituler !
Mais les vivres manquaient. On mangeait des rats, des limaces, des peaux de chèvre bouillies. Chaque jour on comptait les morts… Et La Rochelle céda.
Derrière les murs gothiques de l'hôtel de ville, dans le cabinet de Jean Guiton, le marbre de la table est un peu ébréché… La légende rochelaise assure que le maire brisa la pierre d'un mouvement rageur en jurant de défendre la ville jusqu'à sa mort.

4 **Le cinéma du roi et du cardinal**

Le 1er novembre 1628, dans l'après-midi, pour célébrer la reddition de La Rochelle, le cardinal de Richelieu et le roi Louis XIII assistèrent à un *Te Deum* dans cette modeste chapelle Sainte-Marguerite… Spectacle grandiose dans cette salle qui allait devenir, en 1912, le premier cinéma de La Rochelle. **(À l'angle de la rue du Collège et de la rue Albert-Ier, La Rochelle)**

5   La corderie de la Royale

À La Rochelle, Richelieu comprit que la France avait besoin d'une marine royale – la Royale, comme on l'appellerait très vite. Colbert poursuivit cette œuvre : il fit venir des spécialistes de Hollande, envoya des architectes espionner les chantiers navals à l'étranger, mit les forêts au service prioritaire de la construction des bateaux de guerre. Cette corderie royale du XVIIᵉ siècle, située sur les bords de la Charente, à Rochefort, fut le plus long monument d'Europe de l'époque (375 mètres). Cette manufacture de cordes fournit la marine jusqu'en 1867. Les bâtiments hébergèrent ensuite une école d'officiers et d'apprentis armuriers, puis ils furent désaffectés en 1926. Cinquante ans plus tard, une rénovation leur a rendu la vie. **(Rue Jean-Baptiste-Audebert, Rochefort)**

6

Le logis breton du roi

À Nantes, ce château des ducs de Bretagne, appelé « Grand Gouvernement », devint le logis breton du roi après le rattachement de la province à la France. Ici même, le 5 septembre 1661, alors que la cour était réunie à Nantes pour les états de Bretagne, le surintendant Nicolas Fouquet, l'homme le plus puissant du royaume, fut arrêté par d'Artagnan sur ordre et en présence du jeune Louis XIV. Ne faut-il pas y voir l'acte de naissance de la monarchie absolue ?
(4, place Marc-Elder, Nantes)

Le premier amour de Louis XIV

Dans les ruelles anciennes de Saint-Jean-d'Angély, en Poitou-Charentes, comment ne pas songer à Marie Mancini, la nièce du cardinal Mazarin, premier amour de Louis XIV ? Si cette jeune fille de 19 ans un peu boulotte n'était pas vraiment belle, elle était charmante avec ses yeux vifs et sa bouche gourmande. Le roi l'aurait bien épousée si la politique ne s'en était mêlée… Il fallait assurer la paix au-delà des Pyrénées et prendre pour reine Marie-Thérèse, infante d'Espagne. En juin 1659, en route pour Saint-Jean-de-Luz où allait se tenir le mariage, le jeune roi exigea de s'arrêter sur la route, ici, à Saint-Jean-d'Angély, pour rencontrer une fois encore celle qui faisait battre son cœur. Les deux amants s'enfermèrent dans une chambre durant trois heures…
– Je n'aimerai que toi, murmura le roi.
– Vous allez épouser l'infante, répliqua Marie.
– Je vais faire mon devoir de roi.
Puis ils se séparèrent. Ils ne devaient jamais se revoir.

7

VARENNES
L'arrestation de Louis XVI

De Nantes à Valmy,
par les chemins des Ponts et Chaussées

Le dernier cortège

La traite négrière permet à Nantes de se développer, mais on a changé de siècle et les Lumières déjà s'annoncent. Tout avance et progresse. Un ingénieur nommé Jérôme Trésaguet réinvente la route. En plaçant les fondations de dalles plates sur la tranche, il crée des voies qui résistent mieux aux intempéries et se révèlent plus douces au passage des carrosses.

De Nantes, nous prenons la diligence pour rejoindre Versailles par la route royale qui deviendra en partie notre nationale 23. En ce mois de mai 1789, la réunion des états généraux attire les foules. Dans la salle du Jeu de paume, les députés prêtent un serment solennel : ne pas se séparer avant d'avoir doté la France d'une Constitution. La Révolution est en marche.

Un an plus tard, dans la nuit du 20 juin 1790, une berline emporte secrètement Louis XVI, la reine Marie-Antoinette et leurs enfants… Le périple s'arrête à Varennes, où le roi est reconnu.

Ne rentrons pas aux Tuileries avec le roi prisonnier, arrêtons-nous au pied du moulin de Valmy… Le 20 septembre 1792, une armée austro-prussienne marche sur Paris. Au nom de la France révolutionnaire, 36 000 hommes prennent position autour du fameux moulin. On entend quelques tirs, mais les ennemis évitent l'engagement. Le lendemain, la Convention vote à l'unanimité l'abolition de la monarchie ; la République est née à Valmy.

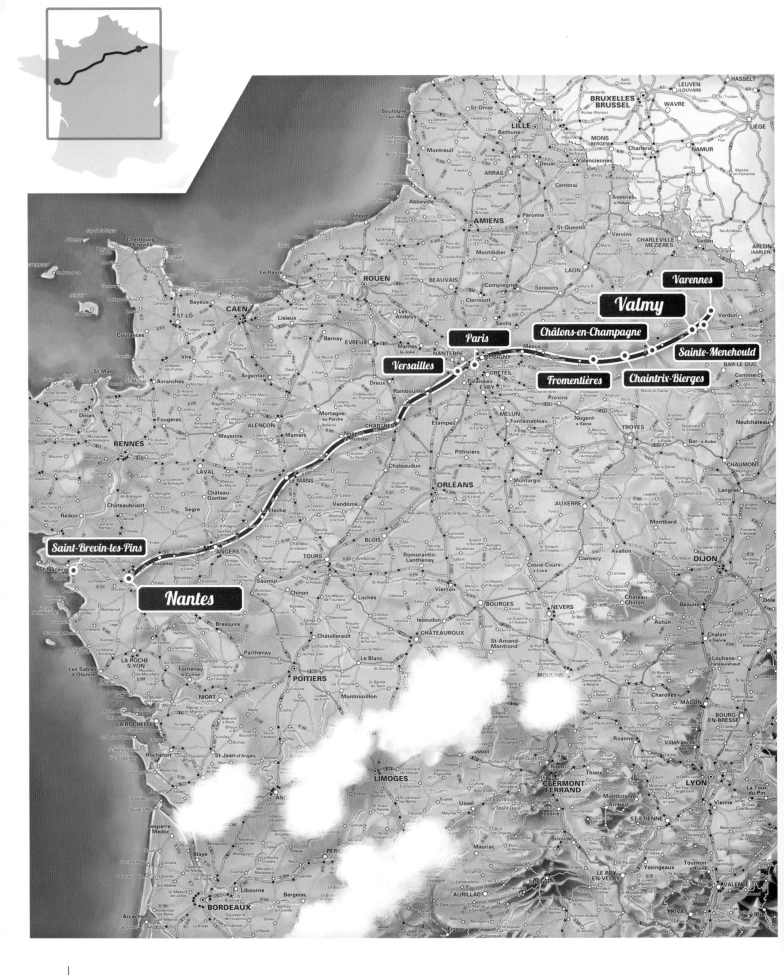

Varennes

Valmy

Châlons-en-Champagne

Paris

Sainte-Menehould

Versailles

Fromentières

Chaintrix-Bierges

Saint-Brevin-les-Pins

Nantes

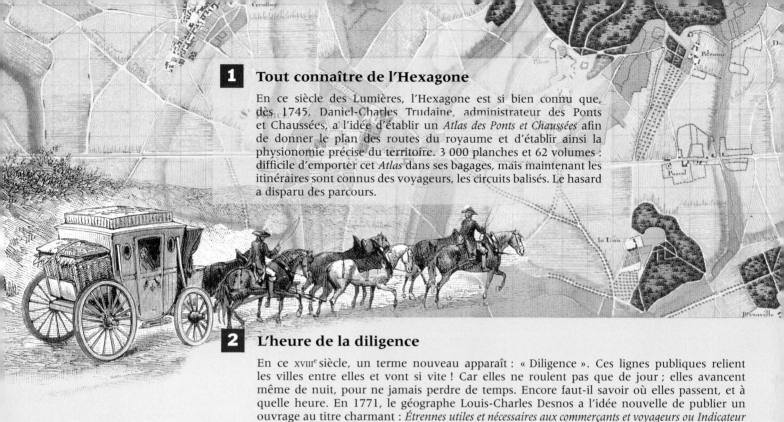

1 Tout connaître de l'Hexagone

En ce siècle des Lumières, l'Hexagone est si bien connu que, dès 1745, Daniel-Charles Trudaine, administrateur des Ponts et Chaussées, a l'idée d'établir un *Atlas des Ponts et Chaussées* afin de donner le plan des routes du royaume et d'établir ainsi la physionomie précise du territoire. 3 000 planches et 62 volumes : difficile d'emporter cet *Atlas* dans ses bagages, mais maintenant les itinéraires sont connus des voyageurs, les circuits balisés. Le hasard a disparu des parcours.

2 L'heure de la diligence

En ce XVIIIe siècle, un terme nouveau apparaît : « Diligence ». Ces lignes publiques relient les villes entre elles et vont si vite ! Car elles ne roulent pas que de jour ; elles avancent même de nuit, pour ne jamais perdre de temps. Encore faut-il savoir où elles passent, et à quelle heure. En 1771, le géographe Louis-Charles Desnos a l'idée nouvelle de publier un ouvrage au titre charmant : *Étrennes utiles et nécessaires aux commerçants et voyageurs ou Indicateur fidèle enseignant toutes les routes royales et particulières de la France*. Les commentaires assortis de 158 cartes informent le lecteur sur les temps de parcours de son déplacement et sur les relais qu'il trouvera sur son parcours.

Le temple du goût

Cet hôtel particulier construit pour un prospère armateur exprimait, en 1753, le sommet de l'élégance architecturale et le point d'orgue du baroque nantais ; alors le bâtiment a été surnommé « le temple du goût ». Orné de balcons aux superbes ferronneries et de visages gravés évoquant le voyage, les Amériques et l'éternel féminin, il était le symbole brillant de la réussite de ceux qu'on appelait pudiquement « ces messieurs du commerce ». Ce commerce-là était fructueux ! Les navires des négociants voguaient sur toutes les mers du monde… Le « commerce triangulaire » était bien rodé. Le navire quittait Nantes, accostait en Afrique, chargeait sa cargaison humaine d'esclaves et repartait vers les Amériques. Sur place, les captifs était vendus et le bateau faisait alors voile pour le retour à Nantes, transportant cette fois des produits exotiques qui faisaient le bonheur des amateurs de café, des fumeurs de cigares et des élégantes vêtues de cotonnades. Ainsi, Nantes pouvait s'enrichir et se développer. **(30, rue Kervégan, Nantes)**

4 Départ pour le tour du monde

Pour apprendre, connaître, découvrir, Louis-Antoine de Bougainville décida de boucler un tour du monde en une longue expédition navale. Fin 1766, il arriva à Nantes pour prendre possession de *La Boudeuse*, la frégate qu'il allait mener sur toutes les mers du monde. Le navire appareilla, manœuvra, gagna Mindin, dernier port sur la Loire avant les grandes eaux de l'Atlantique. Et tout le monde embarqua…

Le périple dura deux ans et demi et aboutit à la publication d'un récit, *Voyage autour du monde*, qui fit fantasmer le lecteur sur un imaginaire paradis situé à Tahiti, île nouvellement découverte : « L'air qu'on respire, les chants, la danse presque toujours accompagnée de postures lascives, tout rappelle à chaque instant les douceurs de l'amour, tout crie de s'y livrer. »

Quand Bougainville partit de Mindin, il y avait déjà un fort pour protéger le port. En 1861, les architectes militaires de Napoléon III le remplacèrent par celui que l'on voit aujourd'hui et qui abrite un musée de la Marine. **(Place de Bougainville, Saint-Brevin-les-Pins)**

Les menus plaisirs de la Révolution

Louis XV aimait tant les fêtes qu'il fit construire cet hôtel des Menus-Plaisirs dans le seul but d'organiser ses réjouissances. Changement de destination en 1789 : on s'avisa que le bâtiment était assez grand pour accueillir les 1 139 députés venus représenter les trois ordres – noblesse, clergé et tiers état. Mais tout ne se déroula pas selon les vœux du roi Louis XVI ; on entendit ici des mots nouveaux et qui résonnaient étrangement : on parlait de souveraineté nationale, de liberté individuelle, d'égalité des droits ! C'est bien ici que la Révolution prit naissance. Mais la République ne se préoccupa guère de ce patrimoine : les lieux furent transformés en dépôt de vivres pour l'armée puis en caserne, avant d'être carrément abandonnés durant plus d'un siècle. C'est aujourd'hui le Centre de musique baroque de Versailles. **(22, avenue de Paris, Versailles)**

6 Jeu de paume : le serment

Une petite balle, deux raquettes et un filet : le jeu de paume fut le tennis de nos aïeux. Il se jouait dans de grandes salles, tout en longueur. Le 20 juin 1789, 300 députés du tiers état, réunis dans la salle du Jeu de paume de Versailles, jurèrent de ne pas se séparer avant d'avoir doté la France d'une Constitution. Et quand, au nom du roi, on vint demander aux députés de se disperser, Mirabeau répliqua :
– Nous ne quitterons nos places que par la puissance des baïonnettes.
La Révolution était en marche.
Par la suite, la République pensa dresser en ce lieu emblématique, un monument en hommage aux pères de la Constitution. Mais rien ne fut fait. Il fallut attendre 1888, et les préparatifs du centenaire de la Révolution, pour voir la salle transformée en musée. Celle-ci abrite la statue en marbre de Sylvain Bailly, alors président du tiers état. Tout autour s'égrènent les noms des signataires du fameux serment.
(Rue du Jeu-de-Paume, Versailles)

7 Le rendez-vous de la Rotonde

Le 21 juin 1791, à 1 h 20 du matin, un fiacre arriva à la Rotonde de la Villette. À l'intérieur, le roi Louis XVI déguisé en bourgeois. Ce rendez-vous nocturne était une fuite : la famille royale s'apprêtait à quitter secrètement Paris dans une lourde berline attelée à 4 chevaux. Mais la voiture prévue restait introuvable, et le roi partit à sa recherche. Elle stationnait un peu plus loin, en pleine campagne. Tout le monde put s'y installer. Fouette cocher, et la berline verte s'enfonça dans la nuit.

8 Le salut hors de Paris

Le lendemain, peu avant midi, la lourde berline verte arriva à ce relais de Fromentières, en Champagne-Ardenne. Le roi bavarda avec quelques passants, et devant l'inquiétude d'un serviteur fit part de sa parfaite assurance :
– Mon voyage me paraît à l'abri de tout accident...
(Route de Châlons, Fromentières)

À Chaintrix, le relais de la confiance 9

À 25 kilomètres de Fromentières, le roi et sa famille s'arrêtèrent dans ce relais de Chaintrix, aujourd'hui Chaintrix-Bierges. Le roi était persuadé que le petit peuple des campagnes soutiendrait son équipée et il se montra donc, sans se cacher le moins du monde, discutant allègrement des moissons avec quelques paysans des environs.
(Rue de Paris, Chaintrix-Bierges)

10 Le silence de Châlons

Vers 16 heures, le roi et sa famille arrivèrent à Châlons, devenu depuis Châlons-en-Champagne. Louis XVI fut reconnu, et les habitants, ni nerveux ni scandalisés, vinrent voir Sa Majesté comme on vient observer une étrange curiosité. Le maire recommanda à tous silence et discrétion ; aussi la berline put-elle repartir sans difficulté.
Marie-Antoinette revit alors cette porte Sainte-Croix – qui s'appela un temps porte Dauphine, car elle avait été dédiée, vingt et un ans plus tôt, en 1770, à la jeune fille qui venait d'Autriche pour adopter la France et épouser le futur Louis XVI. **(Place Sainte-Croix, Châlons-en-Champagne)**

Le patriote de Sainte-Menehould 11

À 20 heures, ce 21 juin 1791, la berline emportant le roi était à Sainte-Menehould, en Champagne-Ardenne. Dans ce relais, devenu gendarmerie, le maître-poste Jean-Baptiste Drouet observa longuement ces riches bourgeois qui faisaient halte. À peine la voiture eut-elle quitté la ville qu'un envoyé de Châlons arriva en criant que la berline emportait le roi et sa famille. Patriote, Drouet demanda si le roi avait bien le nez aquilin, la vue courte et le visage bourgeonné. Et l'on sonna le tocsin ! Drouet n'hésita pas, il partit au grand galop et arriva à Varennes dans la nuit, prévenant les habitants que le roi tentait de fuir la France et que tout citoyen le laissant passer se rendrait coupable de haute trahison.
(8, rue Drouet, Sainte-Menehould)

Le beffroi de Louis XVI   **12**

À Varennes – devenu Varennes-en-Argonne, en Lorraine –, cette tour de l'Horloge est un beffroi dressé en 1793. Il a été édifié, dit-on, avec les pierres de l'auberge du Bras d'or, dans laquelle Louis XVI et sa famille furent retenus toute une nuit. Ce clocher a été incendié par les bombardements allemands en septembre 1914 et restauré à l'identique après la Grande Guerre. **(Place de l'Hôtel-de-Ville, Varennes-en-Argonne)**

HÔTEL DU GRAND MONARQUE

13   Le mauvais côté du Grand Monarque

Varennes est traversé par une rivière, l'Aire… Devant cet hôtel du Grand Monarque, le marquis de Bouillé et une cinquantaine de hussards attendaient Louis XVI et sa famille avec des chevaux frais. Mais ils se trouvaient du mauvais côté de la rivière : une barricade dressée par les habitants du village coupait le pont. Le marquis et ses hommes ne purent qu'assister, impuissants, à l'arrestation du roi. **(1, place de l'Église, Varennes-en-Argonne)**

14 Honneur et désespoir

Retour à Châlons. Dans cet hôtel de l'Intendance, qui fut le siège des ingénieurs des Ponts et Chaussées œuvrant dans la région, Marie-Antoinette passa deux nuits. La première le 11 mai 1770, lorsqu'elle apprenait à connaître une France encore inconnue pour elle. La seconde le 23 juin 1791, quand elle reprit, sous bonne garde, la route vers Paris après avoir été arrêtée avec le roi et ses enfants à Varennes. **(38, rue Carnot, Châlons-en-Champagne)**

15 Quatre moulins à Valmy

Il est beau, le moulin de Valmy, en Champagne-Ardenne ; il est beau, mais il est tout neuf. Le vrai moulin, celui qui a été considéré comme un signal par les révolutionnaires, a disparu au soir de la confrontation avec les troupes austro-prussiennes. Eh oui, il a été brûlé par Kellermann, qui craignait le déclenchement des combats et voulait éviter d'offrir cette cible aux canons ennemis. Peu après, des meuniers, soucieux de poursuivre leur travail, élevèrent un nouveau moulin, mais les affaires allaient mal, et la construction fut démolie en 1831. Pendant un siècle, il n'y eut plus de moulin à Valmy ! En 1939, des voix s'élevèrent pour reconstruire le symbole révolutionnaire des prés de Valmy, mais la date était mal choisie ; la France avait d'autres préoccupations. Après la guerre, le projet fut repris, et un nouveau moulin de Valmy put être inauguré en 1947. La tempête de 1999 abattit ce moulin-là et l'on décida d'en construire un quatrième par souscription nationale. Celui-ci se dresse fièrement dans les champs de blé depuis 2005.

De Valmy à Paris,
par les chemins de fer

À toute vapeur vers le progrès

Nous quittons Valmy pour nous diriger vers Châlons-sur-Marne – aujourd'hui Châlons-en-Champagne –, ville qui voit bientôt défiler la Grande Armée de Napoléon se dirigeant vers Austerlitz, Iéna, Eylau, Friedland, Wagram…

Au cours de ses pérégrinations en France, l'Empereur a tout le loisir de se rendre compte que les routes sont à l'abandon, et il restaure activement le réseau routier. Cette attention trahit une méfiance concernant d'autres moyens de transport, notamment le chemin de fer.

Pourtant, en 1842 est promulguée la « loi relative à l'établissement des grandes lignes de chemin de fer en France ». De Paris, rayonneront en étoile 7 lignes qui suivront les grandes routes du passé pour atteindre les principaux sites de province : Lille, le littoral de la Manche, Strasbourg, les bords de la Méditerranée, Bordeaux, Nantes, Bourges.

La seconde partie du XIXe siècle voit donc le triomphe du chemin de fer. En 1870, 2 200 locomotives à voyageurs roulent sur presque 18 000 kilomètres de voies ferrées. Mais le second Empire est bientôt balayé. Avec la défaite française contre la Prusse et la chute de l'empire naît la troisième République. Hélas, la France a perdu l'Alsace et la Lorraine.

Les conflits du XXe siècle se préparent…

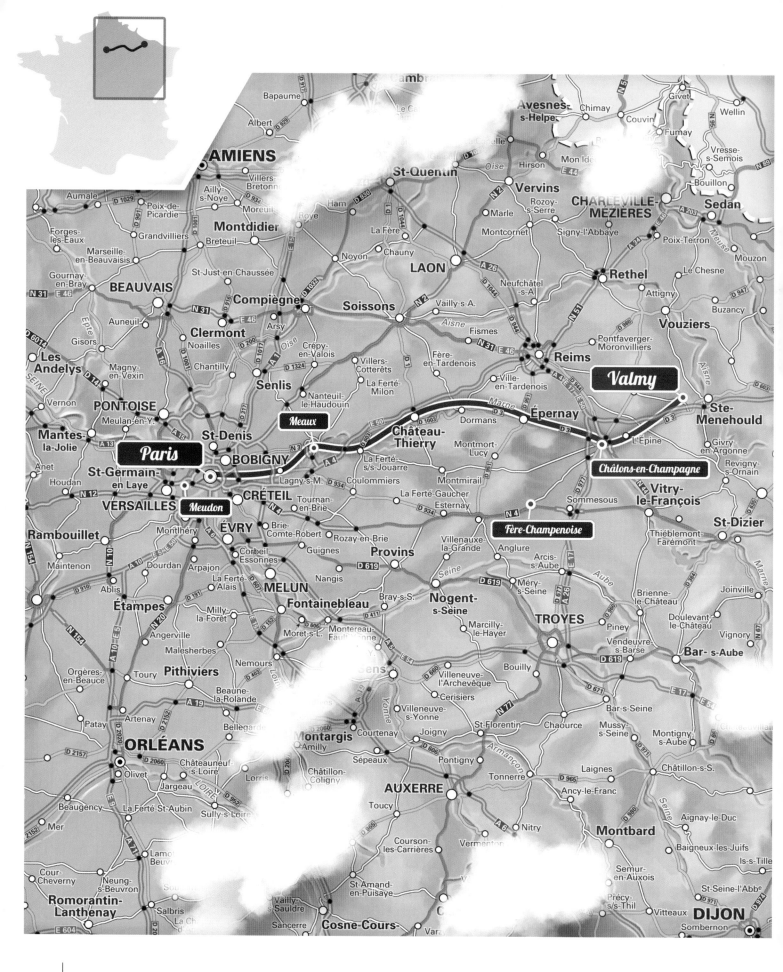

1 Le refuge du cantonnier

Peu après La Fère-Champenoise, sur la route de Paris, **au bord de la nationale 4**, à hauteur de l'aérodrome de Sézanne, dans le département de la Marne, vous trouverez cette cabane du XIXe siècle. Le hasard a fait qu'elle a été bâtie à l'endroit même où se joua de manière décisive la campagne de France, entraînant la défaite des forces napoléoniennes. Les cantonniers ont ainsi construit, le long des routes, des abris de pierre qui leur permettaient de se protéger des intempéries, de se reposer, de ranger leurs outils.

Par décret du 16 décembre 1811, Napoléon institutionnalisa l'emploi de cantonnier, qui devint agent de l'État. Et c'est ainsi que l'on vit, jusqu'au milieu du XXe siècle, des hommes en blouse bleue casser des cailloux le long des routes. Ils parcouraient leur canton armés d'une pelle, d'une pioche ou de maillet, comblaient les trous, aplanissaient les bosselures, stabilisaient les bas-côtés. Il en reste ces maisonnettes étranges parfois abandonnées, parfois restaurées…

2 Le dernier QG de Napoléon

À Châlons-en-Champagne défilèrent les troupes se dirigeant vers Austerlitz, Iéna, Eylau, Friedland, Wagram… La ville constituait le passage obligé des troupes qui allaient vers l'est ou qui en revenaient. De Paris, on ne pouvait qu'emprunter la grande route impériale (notre nationale 3) qui se divisait ici pour remonter vers Metz ou continuer par Nancy et Strasbourg.

Dans cet hôtel de la Préfecture, Napoléon s'établit à plusieurs reprises. En janvier 1814, l'Empereur y installa pour la dernière fois son quartier général et ses appartements. Il quitta la ville à la fin du mois pour la campagne de France. Il remporta quelques victoires, mais n'empêcha pas la chute de l'empire ni sa propre abdication. **(38, rue Carnot, Châlons-en-Champagne)**

61 CHALONS-SUR-MARNE. — *Les Jardins de la Préfecture.* — LL.

3 La première ligne

En 1827, sous le règne de Charles X, fut inaugurée la première ligne de chemin de fer en France : celle qui allait de Saint-Étienne à Andrézieux, dans le département de la Loire. Le but de cette ligne était de charrier de la houille des mines jusqu'au bord de la Loire. Nul ne s'en doutait alors, mais ces 21 kilomètres mythiques de chemin de fer faisaient silencieusement entrer la France dans une ère nouvelle. Certes, le système était encore assez rudimentaire, et bien éloigné de nos TGV : un cheval tirait péniblement 4 wagonnets, et l'animal devait être dételé au bas d'une pente, alors le convoi était hissé par des câbles enroulés sur de grandes poulies actionnées par une machine à vapeur.

Bientôt, une idée émergea : et si l'on adaptait ce mode de transport aux voyageurs ? D'abord, on ne fit qu'aménager les wagons d'un peu de paille où quelques courageux vinrent prendre place… Quelle aventure !

Le train de 17 h 30

La ligne Paris-Versailles fut la deuxième à être mise en place en France, mais la première à connaître une catastrophe ferroviaire. Versailles, ce dimanche 8 mai 1842, attirait la foule des grands jours pour la fête du roi Louis-Philippe. Badauds et touristes ne voulaient pas manquer les grandes eaux du parc ! En fin d'après-midi, il fallut bien rentrer à Paris, et l'on se pressa pour ne pas manquer le train de 17 h 30. Plus de 700 passagers s'entassèrent dans 17 wagons. Le drame se noua peu avant d'arriver à Meudon : une rupture d'essieu de la locomotive ! Six wagons s'encastrèrent les uns dans les autres, et un incendie ravageur se déclara. Horreur, les voyageurs ne pouvaient fuir le brasier : pour faire échec aux resquilleurs, les portes avaient été fermées de l'extérieur ! On releva 55 morts.

L'accident eut lieu à quelques centaines de mètres de ce viaduc construit en 1840 pour permettre au train de franchir les collines entre Meudon et Clamart. Ce vaste ouvrage de 143 mètres de long, fait de pierres et de maçonnerie, dresse encore ses 7 arches à plus de 30 mètres de hauteur…

(On passe sous le viaduc en empruntant la rue de Paris, à Meudon, Hauts-de-Seine)

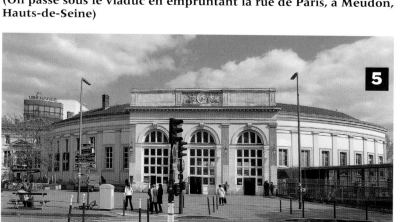

La gare circulaire

Cette gare Denfert-Rochereau est la plus ancienne de Paris encore intacte, du moins extérieurement. Ce fut, en 1842, la gare Paris-d'Enfer qui menait à Sceaux. Si elle a adopté cette étonnante forme circulaire, c'est qu'il fallait alors prévoir un système de voies dites « en raquette », c'est-à-dire effectuant une large boucle pour permettre aux locomotives de faire demi-tour.

Strasbourg à la gare **6**

En 1850, la gare de l'Est fut inaugurée en grande pompe par le président de la République Louis-Napoléon Bonaparte, qui deviendrait deux ans plus tard l'empereur Napoléon III. Cette gare conserve les plus beaux vestiges de son architecture d'origine, malgré ses récentes transformations, et notamment, sur sa façade ouest, cette statue, allégorie de Strasbourg.

STRASBOVRG

Pour les ouvriers de la République

C'est le prince Louis-Napoléon, alors président de la République, qui fit élever, en 1849, cette cité ouvrière qui semblait si bien répondre à son ouvrage social *L'Extinction du paupérisme*. Tout était prévu pour le confort des ouvriers : lavoir, séchoir et salles de bains dans les parties communes, sans oublier le médecin qui visitait les habitants chaque semaine. Mais la bamboche et l'ivrognerie n'avaient pas droit de cité : un inspecteur surveillait en permanence le comportement des locataires, et les grilles fermaient chaque soir à 22 heures. **(58, rue Rochechouart, Paris)**

L'invention qui changea le monde **8**

En 1860, alors que tous se préoccupaient d'améliorer le chemin de fer, un événement passa quasiment inaperçu : Étienne Lenoir, un ingénieur belge installé à Paris, déposa le brevet n° 43624 pour un « moteur à air dilaté par la combustion des gaz ».
– Si ça marche, j'ajouterai un carburateur à réchauffage et à niveau constant dans lequel on introduira soit de l'essence, soit de la gazoline, soit du goudron ou du schiste, ou une résine quelconque, déclara Lenoir.
Cet inconnu venait d'inventer le moteur à explosion ! Sans lui, pas d'automobiles dans l'avenir, pas d'avions non plus… Personne ne se rendit compte du bouleversement qui venait de se produire, et seul un bateau sur la Seine avança bientôt en pétaradant au son de moteur Lenoir.

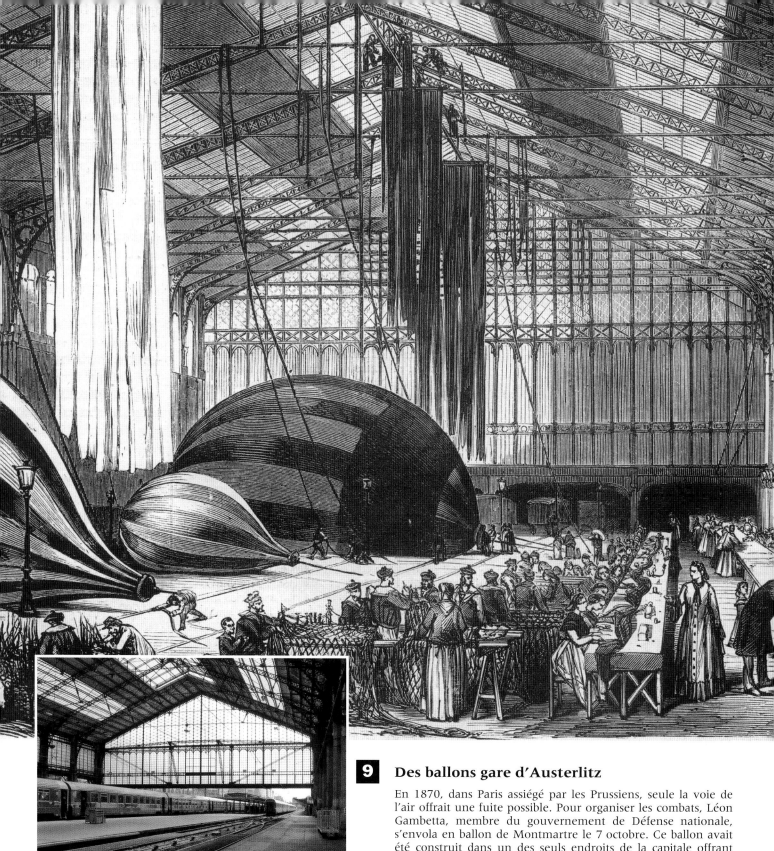

9   Des ballons gare d'Austerlitz

En 1870, dans Paris assiégé par les Prussiens, seule la voie de l'air offrait une fuite possible. Pour organiser les combats, Léon Gambetta, membre du gouvernement de Défense nationale, s'envola en ballon de Montmartre le 7 octobre. Ce ballon avait été construit dans un des seuls endroits de la capitale offrant un espace assez vaste : la grande halle métallique de la gare d'Austerlitz, qui fait 280 mètres de long et 52 de haut. Mais le ballon à gaz n'était pas encore un dirigeable, il s'envolait au gré des vents ; après avoir parcouru 80 kilomètres, il atterrit au petit bonheur la chance à Épineuse, en Picardie.

10 L'Art nouveau aussi prend le train

Le Train bleu, c'est le restaurant de la gare de Lyon ; c'était aussi le nom du train luxueux qui reliait Calais à Nice via Paris. L'Art nouveau, goût inévitable de la fin du xixᵉ siècle, explose ici dans ce qu'il a de plus délirant et de plus beau. Séduit par ce luxe délicat et ses flonflons, l'écrivain Jean Giraudoux s'enthousiasma : « Cet endroit est un musée, mais on l'ignore, les temps futurs le classeront. » Il avait raison : le restaurant a été classé monument historique en 1972 ! (Ci-contre durant les travaux, 2014)

11 Apothéose fin de siècle

Pour célébrer le XXᵉ siècle qui s'annonçait, Paris convia en 1900 les peuples du monde à une grande fête du progrès. L'Expo chanta les arts, l'éducation, l'agriculture – comme de bien entendu –, mais elle prophétisa surtout l'ère scientifique qui s'ouvrait. Une immense étoile lumineuse animée d'étincelles multicolores surmontait le palais de l'Électricité sur le Champ-de-Mars. Et c'est encore l'électricité qui alimentait le petit train emportant sans interruption son flot de visiteurs pour un tour vers les Invalides. Au retour, le visiteur empruntait le trottoir roulant qui traversait l'Expo sur une longueur de 3 kilomètres et demi. Au jour de la plus grande cohue, le fameux trottoir roulant, qui frappa tant les contemporains, transporta 70 000 personnes pour un circuit de 26 minutes à travers la capitale.

De Paris à Calais, par les routes nationales
et les autoroutes européennes

Quand la route fait tomber les frontières

Personne ne se préoccupe plus d'entretenir les routes ; avec le chemin de fer, on n'en a plus besoin ! La Grande Guerre va changer tout cela. L'état-major français comprend brusquement l'importance des transports routiers et motorisés dans le conflit. En 1914, l'armée française est entrée en guerre avec 9 000 véhicules motorisés ; quatre ans plus tard, elle en aura 88 000.

Et l'engouement continue. 260 000 voitures de tourisme roulent en France en 1920 ; elles sont 1 million et demi en 1930. À titre de comparaison, nous sommes aujourd'hui plus de 31 millions d'automobilistes !

L'entre-deux-guerres se termine. En mai 1940, les troupes hitlériennes enfoncent les lignes françaises… À la Libération, le réseau routier français est saccagé. Il faut construire et reconstruire. Un premier programme d'autoroutes est adopté en 1955. Pourquoi des autoroutes ? Pour aller plus loin, vers l'autre. Dans un continent pacifié.

Pour parfaire ce grand rêve de concorde définitive, le tunnel reliant l'Angleterre à la France est devenu réalité en 1990. Le Shuttle, la navette ferroviaire, c'est la logique de l'autoroute menée à son terme pour abattre les obstacles et franchir les frontières.

1 L'auto au Grand Palais

La première version du Salon de l'auto eut lieu aux Tuileries en 1899. Dès 1901, le Salon de l'auto entra au Grand Palais ! Des noms apparurent : Peugeot, Renault, Panhard, Daimler, Benz, De Dion-Bouton… L'automobile devint populaire : on dénombra 800 exposants et 100 000 visiteurs ! Pour avoir le droit de présenter ses voitures motorisées au Salon, chaque constructeur devait subir un test : couvrir 40 kilomètres entre Paris et Versailles afin de démontrer que les moteurs tenaient la route… même sur une aussi longue distance !

2 La facture des taxis de la Marne

En septembre 1914, l'armée française ne possédait pas assez d'automobiles et de camions pour amener les soldats sur le front de la Marne. Des taxis parisiens furent réquisitionnés ! Certains partirent pour Gagny, où les troupes cantonnaient. Et c'est là, à 10 kilomètres de la porte de Bagnolet, devant la mairie de la petite ville de banlieue, que se produisit sans doute le premier embouteillage de l'Histoire. Des centaines de taxis pétaradant et cahotant se précédaient, se suivaient, se côtoyaient…

Finalement, les taxis de la Marne transportèrent environ 5 000 fantassins ; chaque voiture devait emmener 5 soldats, 4 à l'arrière, un autre à l'avant, à côté du chauffeur. Mais il fallait rouler de nuit et sans lumière, afin d'éviter d'être repéré par l'ennemi. Les lanternes étaient éteintes, mais les compteurs allumés ! Facture totale du déplacement : 70 012 francs pour 1 300 taxis… Une moyenne de 54 francs par compteur, approximativement la moitié du salaire mensuel d'un ouvrier. Le ministère de la Guerre paya la course.

3 La gare de la Grande Guerre

Elle a beau être agrandie, transformée, embellie, la gare de l'Est à Paris sera, pour toujours sans doute, la gare de la Grande Guerre. C'est de là que partirent, la fleur au fusil, tant de jeunes soldats qui croyaient être mobilisés pour une victoire rapide ! Cette fresque intitulée *Le Départ des poilus* a été offerte en 1926 au réseau ferré par le peintre américain Albert Herter, en souvenir de son fils tué sur le front en 1918.

Quand, en 1930, la gare fut agrandie, on éleva, face à l'allégorie de Strasbourg, une autre figure symbolique. Armée et coiffée d'un casque de poilu, celle-ci représentait Verdun, en hommage à une génération sacrifiée.

4 Le bunker caché

Gare de l'Est, c'est le mystère de la voie n° 3. En sous-sol, un bunker de commandement. Les meubles d'époque, le bloc électrogène à pédales et le central téléphonique attendent les soldats qui réinvestiraient les lieux. À l'approche de la Seconde Guerre mondiale, ce bunker fut aménagé puis investi par l'occupant allemand. Après la Libération, il fut laissé en l'état, comme le témoignage d'un temps qui jamais ne devrait revenir.

5 Une plage artificielle pour les congés payés

Lorsqu'en juin 1936 le Front populaire accorda deux semaines de congés payés à tous les travailleurs, les voies goudronnées et les chemins de fer étaient prêts à accueillir les foules parties à l'assaut des bords de la Marne, des rives de l'Oise, du littoral de la Manche ou des plages du Midi.

Ceux qui n'avaient pas les moyens de descendre sur la Côte d'Azur cherchaient la mer ailleurs. Filons avec eux vers la Manche, et arrêtons-nous à **Boran-sur-Oise**. Ici, une station balnéaire vit le jour dans les années 1930. Abandonnée au début des années 1980, elle conserve encore de nombreux vestiges. Si le sable apporté à grands renforts de camions a disparu depuis longtemps, il reste le toboggan, les cabines et le haut-parleur géant qui crachait à longueur de journée les succès du moment, ceux de Tino Rossi ou de Maurice Chevalier.

6 Se souvenir à Calais

Calais fut, lors de la Seconde Guerre mondiale, la première ville bombardée et la dernière libérée. Au cœur de la cité, ce blockhaus de la marine de guerre allemande est devenu le musée de Mémoire… Photographies et documents y évoquent la vie quotidienne sous la botte nazie. **(Parc Saint-Pierre, Calais)**

7 Visite à la batterie Todt

La batterie Todt, équipée de 4 canons, était l'un des dispositifs du mur de l'Atlantique dressé par les Allemands dès 1942 pour prévenir un débarquement des forces alliées. Elle a été si bien conservée qu'elle fait aujourd'hui office de musée. **(Audinghen-cap Gris-Nez)**

Ailleurs, en remontant la côte, se dressent d'autres ouvrages du Mur de l'Atlantique construit par l'Occupant. Mais il faut bien le dire, et c'est triste, la plupart de ces édifices sont à l'abandon, comme si notre mémoire se diluait lentement dans le sable et le vent.

8 Le rêve de nos ancêtres

Le tunnel sous la Manche n'est pas une idée neuve. Des projets avaient été dessinés dès 1801, des plans tracés, et même des galeries creusées plus tard... Hélas, les complications techniques, le peu d'enthousiasme des Britanniques et surtout le coût de ce projet allaient retarder les travaux... durant un siècle.

À Sangatte, à 8 kilomètres de Calais, en direction du cap Blanc-Nez, cette construction plate de pierres rondes et de maçonnerie, isolée sur le rivage, c'est le puits de creusement du tunnel sous la Manche (1878). Vestige du rêve de nos ancêtres que notre temps a réalisé...

En guise de conclusion
Vers l'infini et au-delà

La fin de l'Histoire n'existe pas, heureusement. On voudra encore aller plus vite et plus loin, pour apprendre et découvrir. Pour aller au-devant de l'inconnu.

Prenons le tunnel, passons sous la Manche pour atteindre l'Angleterre et ses falaises blanches. Voici le Shakespeare Cliff, la falaise de Shakespeare qui, dans Le Roi Lear, figure un rempart infranchissable contre les invasions.

De ces hauteurs crayeuses, j'aperçois les côtes de l'Hexagone **(ci-dessus)** et repense à notre grand périple. En deux mille six cents ans, nous avons parcouru 13 573 kilomètres, retraçant l'histoire agitée de la construction d'une nation. Je songe à tous ces peuples que nous avons vus se découvrir, se redouter, s'affronter, se rassembler…

Mais quelle est cette forme ? Je ne suis pourtant pas au Ier siècle de notre ère à Boulogne, où l'empereur romain Caligula venait de faire édifier, face à l'île de Bretagne, un phare haut et puissant – celui-ci n'était déjà plus qu'un tas de pierres au début du XXe siècle et maintenant il n'en reste rien. Non, je suis bien à Douvres, où l'empereur Claude, après avoir conquis la grande île, fit construire en l'an 43 cette Roman Lighthouse de 25 mètres de haut **(page de gauche)**, identique en tout point au phare de Caligula. Ce phare disparu, je le retrouve ici ! Et c'est ainsi que je découvre l'Hexagone hors de l'Hexagone. En allant vers l'autre, le différent ou le semblable, l'étonnant ou l'attendu, ne découvrons-nous pas toujours des vérités sur nous-mêmes ?

Crédits photographiques

Cartographie : Cyrille Renouvin, d'après fonds de carte Michelin 2014.

Leemage

p. 11 bas, pp. 152-153, p. 155 haut : Patrice Blot ; p. 35 haut (voie), p. 43 haut, p. 156 haut, p. 171 milieu : Gusman ; p. 36 haut gauche : Luisa Ricciarini ; p. 36 haut droite, p. 114 haut (C. A. Steuben, *La bataille de Poitiers le 25 octobre 732 gagnée par Charles Martel,* 1837), p. 137 (maquette), p. 154 haut, p. 175 bas droite : photo Josse ; p. 36 milieu : North Wind Pictures ; p. 36 bas : Rava ; p. 59 bas gauche, p. 134 (fond) : DeAgostini ; p. 94 haut droite : Selva ; p. 100 (Évariste-Vital Luminais, *Mort de Chilpéric,* peinture conservée à l'Hôtel de Ville de Lyon) : Heritage Images ; p. 119 haut droite : ImageBroker ; p. 167 haut, p. 207 milieu gauche, p. 209 haut : Artedia ; p. 167 bas : F. Buffetrille ; p. 191 milieu, p. 195 haut (diligence) : Bianchetti ; p. 191 bas (Jacob Ferdinand Voet, *Portrait de Marie Mancini, épouse du duc de Bouillon,* 1680/ Rijksmuseum, Amsterdam), p. 201 haut (Horace Vernet, *La bataille de Valmy le 20 septembre 1792,* 1826/National Gallery, London) : FineArtImages ; p. 200 haut (Élisabeth Vigée Lebrun, *Marie-Antoinette et ses enfants,* 1787, Musée de Versailles/MP) ; p. 208 haut : Lee.

Hémis.fr

p. 29 milieu et bas : Denis Bringard ; p. 35 haut (rempart), p. 42 bas gauche, p. 44 haut gauche : Bertrand Rieger ; p. 44 haut droite : Jean-Pierre Degas ; p. 51 : Christian Heeb ; p. 59 haut gauche : Christophe Boisvieux ; p. 127 bas droite : Francis Cormon ; p. 163 milieu : Jean-Paul Azam ; p. 179 milieu droite : Patrick Escudero ; p. 187 haut : Francis Leroy.

Roger-Viollet

p. 10 bas, p. 215 bas gauche et droite : Ullstein Bild.

Bridgeman Giraudon

p. 43 bas gauche : Borne militaire de Domitius Ahenobarbus/Musée Archéologique, Narbonne/Giraudon/The Bridgeman Art Library ; p. 207 bas droite : CNAM, Conservatoire National des Arts et Métiers, Paris/Giraudon/The Bridgeman Art Library.

Bibliothèque nationale de France

p. 62 haut : Tour d'Odre tiré d'un siège de Boulogne gravé en 1549 ; p. 195 haut : premier volume de l'atlas de Trudaine pour la généralité de Paris ; p. 206 milieu : les travaux du plan Marquet : le viaduc de Meudon [photographie de presse]/Agence Meurisse ; p. 211 haut droite : les fêtes de nuit à l'Exposition-Palais de l'électricité et le Château d'eau, *Supplément Littéraire Illustré au Petit Parisien,* 1900 ; p. 215 (voiturette) : [Collection Jules Beau. Photographie sportive] T. 12. Années 1899 et 1900/Jules Beau. F. 3v. Les sports à l'Exposition : concours des voiturettes.

AKG Images

pp. 84-85 (Table de Peutinger), p. 93 (relief), p. 142 haut gauche et bas droite : akg-images ; p. 216 haut : Albert Herter, *Le départ des poilus-Août 1914,* 1926/akg-images/François Guénet.

RMN

p. 15 (fragments) : Inrap, Dist. RMN-Grand Palais/Loïc de Cargouët ; p. 30 (sculpture en bronze) : RMN-Grand Palais (musée d'Archéologie nationale)/Thierry Le Mage ; p. 99 (bijoux) : RMN-Grand Palais (musée d'Archéologie nationale)/Jean-Gilles Berizzi ; p. 114 (statue) : RMN-Grand Palais (Château de Versailles)/Gérard Blot.

Centre des Monuments Nationaux

p. 101 haut : 4vents ; p. 101 bas : Pascal Lemaître ; p. 122 haut droite : Étienne Revault ; p. 173 haut (sculptures), milieu droite : Philippe Berthé ; p. 173 bas gauche et droite : Patrick Müller ; p. 179 bas : Jean Feuillie.

Wikimedia Commons

p. 9 : Clicgauche ; p. 10 haut : Michael Rapp ; p. 15 haut gauche : SiefkinDR ; p. 15 haut droite : Robert Valette ; p. 23 haut : Ske ; p. 25 haut : Zorro95 ; p. 25 (fond) : atreyu ; p. 29 haut : Woehrling ; p. 31 bas droite : Siren-Com ; p. 35 bas : Culturespaces/C. Recoura ; p. 41 bas : Malost ; p. 43 (plan) : Patu nl ; p. 49 bas : Mcleclat détouré par DanieleDF1995 ; p. 50 : Siren-Com ; p. 53 haut : Frachet ; pp. 54-55, p. 82 haut (fond), haut gauche, haut droite : Otourly ; p. 60 bas : Velvet ; p. 61 milieu droite : Nguyenld ; p. 62 milieu : Morburre ; p. 63 haut, p. 165 haut gauche : Havang(nl) ; p. 63 (carte) : Bourrichon ; p. 63 bas, p. 143 bas : Jean-Pol GRANDMONT ; p. 67 haut gauche : sybarite48 ; p. 68 haut gauche : Fab5669 ; p. 68 bas gauche : Michiel1972 ; p. 71 haut droite : Rh-67 ; p. 71 bas droite : Fabien Romary ; p. 75 haut droite : Ji-Elle ; p. 76 gauche : Ludovic Péron ; p. 82 haut gauche (statue) et droite (dés), p. 87 bas droite, p. 163 haut gauche : Vassil ; p. 82 bas : Karl-Heinz Wellmann ; p. 87 bas gauche, p. 191 haut : Duch. seb ; p. 92 bas droite : Croquant ; p. 99 bas droite : Peter17 ; p. 100 bas droite : Marianna ; p. 105 haut : P.poschadel ; p. 105 milieu : Jean-Louis Hens ; p. 105 bas : Marc Ryckaert ; p. 111 haut gauche : Ga5775 ; p. 111 bas gauche : Johann Dréo ; p. 111 bas droite, p. 127 bas gauche : Pline ; p. 112 : GFreihalter ; p. 114 bas : jibi44 ; p. 115 haut : Clara. blanchard ; p. 119 haut gauche (drakkar) : Pradigue ; p. 120 bas gauche : Selbymay ; p. 122 haut gauche : Dfg13 ; p. 127 haut gauche : Frédéric Bisson ; p. 127 haut droite : Elfix ; p. 128 haut : Nitot ; p. 128 bas : Bulo78 ; p. 133 droite : Poudou99 ; p. 134 bas : Cancre ; p. 135, p. 174 : Manfred Heyde ; p. 135 bas gauche : Gilbertus ; p. 136 haut gauche : Yann Gwilhoù ; p. 136 haut droite : MOSSOT ; p. 137 droite : Michal Osmenda ; p. 143 haut gauche : Reinhardhauke ; p. 144 bas (statue) : GO69 ; p. 144 bas droite : Claude Shoshany ; p. 149 bas : Jean-Christophe BENOIST ; pp. 154-155 : Yannickvallée ; p. 156 bas : MDanis ; p. 157 haut gauche : Orikrin1998 ; p. 157 haut droite : Michel Venot ; p. 157 bas droite : Harrieta171 ; p. 162 haut gauche : Felipeh ; p. 164 bas : Ancalagon ; p. 165 bas : Daniel Villafruela ; p. 166 : NonOmnisMoriar ; p. 175 haut gauche : Bru 37 ; p. 175 haut droite : Il Dottore ; p. 180 haut : Léonard de Serre ; p. 180 milieu gauche : Azay ; p. 180 bas : Arnradigue ; p. 183 (fond) : Jebulon ; p. 183 bas : Alf van Beem ; p. 187 bas droite : Jpbazard ; p. 189 : Patrick Despoix ; p. 196 bas : Copyleft ; p. 197 bas : Paris 16 ; p. 198 milieu gauche : Berncath ; p. 199 haut gauche (fond N&B) : Pmx ; p. 199 bas droite : TCY ; p. 201 bas : Хрюша ; p. 205 bas : Godefroy Engelmann ; p. 206 haut : A. Provost, *Catastrophe ferroviaire* à *Bellevue sur le chemin de fer de Versailles le 8/05/1842,* Musée de l'Île de France, Sceaux © DR ; p. 206 bas, p. 207 haut droite, p. 209 bas gauche : Mbzt ; p. 207 haut gauche et p. 216 (statues) : Tangopaso ; p. 208 bas : Vincent BABILOTTE ; p. 210 gauche et milieu, pp. 210-211 : Brown University Library ; p. 211 milieu droite : Brooklyn Museum ; p. 215 haut : Valerian Gribayédoff/ Lamiot ; p. 218 : Romainberth.

Remerciements

Lorànt Deutsch et les Éditions Michel Lafon s'associent pour remercier :

Le Groupe Michelin,
Philippe Sablayrolles, Michel Georges, Anne-Claire Martin, Florian Khichane,
Claire Chaudat, Sandrine Tourari, Olivier Guinet,

Lucile Borie, Florence Avignon, Guillermo Spivak, Célestin Suhard,
Marie-Laurence Maître, Michel de Hédouville, Bernard Delaire, Victorien Georges,
Luc Couvée, Frédérique Macarez, Guy Roumagnac, Florence Galtier, Éric Journel,
Jean-Paul Lagadec, Frank Donat, Danielle Thévenin, Roc Édition & Multimédia,
Danièle Molez et Jean-Claude Liger, Béatrice Keller, Violaine Bonin, Catherine Gublin,
Jean Marquet, Sylvie Denis, Gwendoline Girardot, Bruno Nouvion, Guillaume Pipaud,
Gilles Peltier, Michèle Lorin, Alain Devineau, Jean-François Berthet…

Le lecteur trouvera à la fin de l'ouvrage Hexagone *(Michel Lafon, 2013)*
une bibliographie détaillée par périodes.

Direction éditoriale
Édouard Boulon-Cluzel

Iconographie
Judith Nouvion

Conception, réalisation
Gilles Legleye

Fabrication
Christian Toanen
Nikola Savic

Photogravure : Press Prod
Achevé d'imprimer sur les presses de Egedsa (Espagne)
Dépôt légal : octobre 2014
ISBN 13 : 978-2-7499-2236-2
LAF 1499